Texto de acordo com as normas do novo acordo ortográfico da língua portuguesa (Decreto Legislativo Nº54 de 1995).

Editora – Catia Mourão
Capa – Joice Dias
Diagramação – Catia Mourão
Revisão – Jenny Silveira e Halice FRS
Ilustração – Adacia Art.

CIP-BRASIL. CATALOGAÇÃO NA PUBLICAÇÃO
SINDICATO NACIONAL DOS EDITORES DE LIVROS, RJ

G117i

Gabriel, Robson
A improvável história de nós dois / Robson Gabriel. - 1. ed. - Rio de Janeiro : Ler, 2023.
176 p. ; 14 cm.

ISBN 978-65-5055-057-8

1. Romance brasileiro. I. Título.

23-86741 CDD: 869.3
CDU: 82-93(81)

Gabriela Faray Ferreira Lopes - Bibliotecária - CRB-7/6643
19/10/2023 24/10/2023

Foi feito o depósito legal.
Direitos de edição:

Clubinho da Ler

A improvável história de nós dois

ROBSON GABRIEL

1ª edição
Rio de Janeiro – Brasil

Sumário

Para minha mãe (in memorian).
Gostaria que você estivesse aqui para ler
mais uma história minha. Essa conquista é sua!

Capítulo 01

Quando saí de casa pela manhã e entrei no ônibus velho e barulhento, sabia que estaria fadado a mais um dia entediante e cheio de piadas ofensivas em minha direção. Por mais que eu quisesse me levantar contra aquele povo, fazer com que eles engolissem tudo o que diziam sobre mim, não conseguia. Talvez eu fosse mesmo o que eles falavam, um nerd gordo, fraco e sem qualquer chance de salvação.

Minha mãe sempre dizia que as coisas ruins só me atingiriam se eu deixasse. Até pouco tempo atrás, elas enfincavam suas garras bem fundo no meu peito. Não conseguia pensar em nada além do que diziam sobre mim. Passava dias e mais dias apenas sobrevivendo, esperando a hora de ir para casa e me trancar meu quarto para chorar. Agora estou aprendendo a lidar comigo mesmo e a me aceitar por completo. E devo confessar que as sessões com o psicólogo estão ajudando mais do que eu esperava.

Estou saindo da aula de matemática para o tão esperado intervalo — que utilizo para me esconder e comer em paz, diga-se de passagem —, o corredor está uma algazarra só. Eu sei que a curiosidade já matou vários gatos por aí, mas, para a minha sorte, estou longe de ser um. Então apresso o passo. Uma gritaria intensa e cheia de palavras odiosas está se formando perto dos banheiros.

Boa parte dos alunos da Escola Professor Hugo Terceiro estão juntos formando o que pode ser considerado uma multidão bem em frente ao banheiro feminino da escola. Como sou baixinho, não consigo ver muito do que está acontecendo, então me aproximo vagarosamente dos outros alunos, tentando chamar o mínimo de atenção possível.

Não quero que acabe sobrando nada para mim.

Paro ao lado do grupo de patricinhas — que claramente se inspira no filme *Meninas Malvadas,* como se ele fosse, de fato, algo em que se inspirar — e ouço a fofoca.

— Eliza, é aquela garota nova e estranha! — A mais baixinha sussurra no ouvido da loira alta, que é a líder delas e sempre dá um jeito de causar um inferno na minha vida. — O Maicona arrastou para fora do banheiro junto com os outros garotos do time de futebol.

Qualquer pessoa de fora da vivência deste colégio pensaria que:

1 - Se ele é o capitão do time de futebol, ele provavelmente é o cara mais bacana que a galera conhece.

2 - Ele é um exemplo de pessoa, sempre ajudando todo mundo a se encaixar e tudo mais.

Mas não é bem assim que as coisas funcionam por aqui. Maicon é uma das piores pessoas que já cruzou o meu caminho. E seus *minions* não ficam muito longe. Ele é o típico macho padrão da sociedade: branco, alto e musculoso. Qualquer garota que estude aqui tem, ou já teve, um baita de um*crush* por ele. E eu juro que não consigo entender, o cara é um tremendo de um babaca machista, que só pensa no — e com o — próprio pinto.

Esgueiro-me por entre a galera alvoroçada para entender melhor o que está acontecendo. Quando consigo ver alguma coisa, noto a garota negra e magricela no chão, o rosto cheio de lágrimas. Nenhuma palavra sequer sai de sua boca, ela está muito chocada para isso. Mas, em contrapartida, Maicon grita feito um psicopata:

— Você é uma aberração! — Ele se vira de costas para ela e respira fundo, depois continua: — Você deveria se trancar dentro de um quarto escuro e ficar lá para sempre, ninguém é obrigado a conviver com alguém como você!

Os outros garotos em volta dela começam a rir, gargalhadas monstruosas e cheias de ódio. Um deles, um garoto negro que nunca reparei, se aproxima de Maicon e toca o ombro do amigo.

— Tá vendo, Maicon, essa coisa é uma aberração tão grande, que nem tem coragem de usar o próprio nome! — Ele cutuca a garota com o pé esquerdo, ela se encolhe com o medo de levar um chute. — Diz aí, monstrinho, qual é seu nome de verdade?

Uma lágrima solitária escorre do olho direito da garota e, em seguida, uma expressão de ódio e força toma conta de sua face. Eu não estou conseguindo entender muito este alvoroço, mas sinto ódio dos caras do time de futebol, mesmo nunca tendo visto a garota. Sei lá, há alguma coisa nela que chama a minha atenção, algo que vai muito além da beleza. Talvez seja o brilho dos olhos dela.

— Meu nome é Eloá. — Ela respira fundo e se levanta. — E o único monstro aqui é você, babaca!

Vejo o rosto de Maicon enrubescer intensamente em questão de segundos, preciso fazer algo antes que seja tarde. Mas quem sou eu? Apenas um pária que só serve de chacota para esses idiotas sem cérebro. Além disso, sou uma única pessoa, eles são quantos? Uns dez? Meu estômago se revira com nojo, cobrando-me uma atitude.

O capitão do time de futebol parece pensar durante alguns instantes, ele está inquieto. Meus braços se arrepiam, estou num estado misto de raiva e medo. Acho que, se eu não me controlar, talvez vomite tudo que comi no café-da-manhã e acabe desmaiando.

Quero tomar uma atitude e mostrar para esses babacas que eu posso ser forte, preciso deixar meu lado bobo e medroso de lado antes que seja tarde demais e algo pior acabe acontecendo. Então, largo minha mochila no chão e corro na direção de Eloá. Maicon prepara um soco, pela expressão de ódio no rosto dele, tenho a impressão de que o golpe pode ser fatal.

Dou meu máximo para correr e me colocar na frente da garota. E eu consigo. A mão grande de Maicon está se aproximando do meu rosto e eu só consigo rezar para todas as divindades que conheço dos livros de fantasia que costumo ler para que eu saia vivo dessa. Fecho os olhos, mesmo antes de receber o golpe do brutamontes, vejo estrelas rodopiando no fundo escuro e meio avermelhado proporcionado pelas minhas pálpebras. E então sinto o impacto.

Minha cabeça gira e sinto uma dor lancinante em meu olho direito. Sinto, também, raiva. Um ódio sem tamanho surge em meu peito, quero retribuir o que ele fez comigo e o que estava fazendo com Eloá. De repente, é como se eu fosse um dos heróis invencíveis dos quadrinhos.

Aproveito que já estou no chão e estico minha perna esquerda, fazendo com que Maicon caia de bunda. Apresso-me para me levantar, mas um dos capangas dele certifica-se de que eu continue no chão. Começo a me debater, estou meio tonto, mas ainda tenho forças para tentar me desprender de quem quer que esteja me segurando. A garota — Eloá, recordo-me — se levanta e aproveita que Maicon ainda está no chão para dar um belo de um chute no saco dele.

— Isso é pouco, perto do que você merece, seu babaca! — Ela começa a se afastar, mas para estática quando percebe que a multidão que estava assistindo tudo já não está mais à nossa volta.

Ouço, atrás de mim, os passos pesados de umas três pessoas. Não que eu consiga entender muito alguma coisa, já estou esparramado no chão, sentindo dor e tomado por uma tontura bem louca, mas ouço as vozes embaralhadas.

— O que aconteceu aqui, posso saber?

E então tudo se apaga.

Sinto uma pontada em minha cabeça ao abrir os olhos, toda a luz branca que os invade me causa dor, forçando-me a fechá-los novamente por conta da ardência. A julgar pelo cheiro de álcool e desinfetante, devo estar na enfermaria da escola. Eu definitivamente me meti em um problema bem maior do que eu poderia aguentar.

Quase que instantaneamente, lembro-me dos últimos episódios ocorridos em minha pacata e miserável vida. A garota sendo arrastada, os gritos furiosos de Maicon e o soco que levei após tentar defendê-la daqueles babacas. Apesar da dor, eu me sinto até um pouco orgulhoso por ter derrubado o idiota do capitão do time de futebol de bunda no chão.

Uma vontade furiosa e urgente de encontrar Eloá cresce dentro de mim, fazendo com que eu me levante de onde estava deitado. Minhas pernas bambeiam. De repente, pareço ser feito de gelatina ou algo parecido. Mas sei que preciso encontrá-la e saber se está tudo bem. Mesmo achando toda essa fixação meio estranha, consigo encontrar desculpas o suficiente para a garota ter me chamado tanto a atenção, a puberdade sendo a principal delas.

Mas o destino adora brincar — às vezes, até demais — com a minha cara. Vejo uma das supervisoras entrar. Ela começa a me encarar como se houvesse acabado de ganhar numa loteria qualquer. Sorrio para ela, fazendo-me de bobo. A mulher, toda vestida de preto, aproxima-se mais de mim. Sinto o cheiro de fumaça dos vários cigarros que ela já deve ter fumado até agora e isso acaba irritando meu nariz, causando um espirro escandaloso demais para o meu gosto. A mulher me assusta com o sorriso fixo em seu rosto, parece algo diabólico.

— Que ótimo que já está acordado, rapaz. — Ela toca meu ombro como se tivesse este direito, mas não digo nada e nem a repreendo, quem está metido em uma bela de uma enrascada, no fim das contas, sou eu. — O diretor Freitas me pediu que checasse se você está bem e, se estiver, para que eu o acompanhe até a sala dele.

Fito o chão amarelado, tentando evitar de respondê-la, mas não devo ter saída.

— Podemos ir, garoto? — Noto pelo tom de voz dela que sua paciência está prestes acabar. Ela deve ter vários nadas para fazer, o que pode ser bem melhor do que ficar esperando a boa vontade de alguém como eu.

Realmente não tenho saída, então apenas confirmo com a cabeça. Desajeitadamente me levanto da maca desconfortável, estou meio zonzo, e começo a seguir a mulher até a sala do diretor. Os corredores estão vazios, mas ouço as vozes dos alunos sempre que passamos em frente a alguma das salas.

Nossa caminhada não demora mais do que um minuto, visto que a Hugo Terceiro é uma escola pública e bem pequena para a quantidade de alunos que atende. A mulher assustadora abre a porta para mim e, com um sorriso, indica para que eu entre. Assim que o faço, vejo Eloá sentada em uma das poltronas aparentemente confortáveis que estão de frente para a mesa de Freitas. Ouço o baque da porta se fechando atrás de mim e meu sangue parece congelar. Não há escapatória. Ao menos encontrei a garota e ela parece estar bem.

Arrasto-me até a poltrona ao lado dela e me sento, tentando não fazer barulho algum. Sinto os olhos furiosos do diretor pousarem em mim. Os pelos dos meus braços se arrepiam e minhas bochechas enrubescem com o nervosismo.

— Que bela confusão vocês dois arrumaram! — Ele bufa tão intensamente, que posso jurar sentir o calor de sua respiração tocar minha pele. — Eu já estava desconfiando mesmo, essa bendita escola estava quieta demais nos últimos dias.

Encolho-me na poltrona, tentando desaparecer da sala. Não consigo acreditar que ele está jogando a culpa de tudo em cima da gente, só posso estar no meu inferno astral.

Será que o diretor não enxerga que fomos as vítimas daquele ataque de ódio descarado? Respiro fundo, tentando manter a calma, costumo chorar quando estou nervoso. E, neste momento, estou nervoso, triste e desiludido. Mas eu preciso me controlar, não preciso passar mais vergonha hoje, meu dia já está sendo ruim o bastante.

Pego-me pensando que estamos em pleno século vinte e um, temos leis que aprovam casamento igualitário e direitos de pessoas, sejam elas quem forem ou como forem. Mas, mesmo assim, ações carregadas de ódio e preconceitoainda seguem impunes nessa nossa sociedade hipócrita e, como eles gostam de dizer, tradicional. Haja paciência!

— Quem você pensa que é, mocinho?

Volto ao mundo real com a voz ríspida e grossa de Freitas. Encaro-o, sem saber responder sua pergunta, ou seu sentido. Seus olhos negros, através dos óculos fundo de garrafa me analisam profundamente. Sinto-me despido, como se aquele olhar fosse um bisturi preciso arrancando cada peça de roupa do meu corpo e desfolhando minha pele vagarosamente. Então, o que eu tentei evitar finalmente acontece, as lágrimas começam a jorrar de meu rosto, sinto-me um nada.

— Francamente, jovem, deveria ter pensado bem antes de fazer a baderna que fez. Agora de nada adianta chorar!

Ocupado demais tentando parar de passar vergonha chorando, não percebo a mão de Eloá tocando minha perna. Quando o faço, a garota já está se levantando, o rosto vermelho de raiva.

De repente, aquela garota magra e indefesa de minutos atrás, parece uma grande mulher, forte e disposta a lutar por seus ideais. Uma faísca de esperança se acende dentro do meu peito e um sorriso tímido se forma em meu rosto cheio de espinhas.

Eloá apoia ambas as mãos sobre a mesa de madeira envernizada e encara o diretor, esperando que ele fale algo para ela. Visto que ele não o fará, a garota solta o verbo:

— Olha, diretor Freitas, o senhor sabe muito bem quem sou, como sou e o motivo de eu ser assim. — Ela respira fundo e tira uma mecha do cabelo castanho e encaracolado do rosto. — Essa não é a primeira escola pela qual eu passo, mas eu sinceramente cheguei a pensar que era vista como a pessoa normal que sou por aqui!

— Querida...

— Eu não sou sua querida, estou longe de ser! — Eloá interrompe o diretor, demonstrando total controle da situação.

Estou orgulhoso pra caramba. Eu mal a conheço, mas já sei que é uma pessoa forte e que passou por bons bocados para chegar até este momento.

— Tudo bem, seja como você quiser. — O diretor se levanta de sua poltrona e dá a volta na mesa até ficar lado a lado com Eloá. Isso me assusta um pouco. — Mas eu não vou admitir que vocês criem caos nos meus corredores!

Engulo em seco, sentindo-me no meio de uma guerra épica inspirada em *Game of Thrones*. Neste momento, posso comparar Eloá com Daenerys e Freitas como Cersei, ambos lançam olhares de ódio um para o outro, mas por enquanto é fácil perceber quem será o vencedor da luta.

— Então o senhor deveria pensar em educar seus alunos e mostrar para eles que há muito mais por fora do campo de visão limitado pelas viseiras que usam, que eu mereço ser respeitada!

— Bom, já passou da hora desse circo terminar. — Seu tom de voz alterado e alto me deixa nervoso, mas não acho que qualquer coisa que eu possa falar vá mudar algo. — Os dois estão suspensos por três dias. Acho que é um período de tempo para pensarem nas ações de vocês. Agora, se me dão licença, preciso voltar a cuidar das coisas mais importantes, seus pais já estão a caminho.

Eloá se apressa para sair da sala e bate a porta com força depois de fazê-lo. Caminho vagarosamente, ainda tremendo por conta do nervoso. Quando chego à sala de espera, encontro-a com o rosto baixo e algumas marcas de lágrimas na saia cor-de-rosa. Queria poder falar que tudo vai ficar bem, que ela é forte, mas nem mesmo eu sei se acredito nestas palavras.

Capítulo 02

Estou sentado no banco do passageiro, ao lado de minha mãe, que dirige e cantarola o novo hit da Lady Gaga — MillionReasons, talvez, não sou fã da cantora — sem me dar a mínima atenção. Encaro o congestionamento monstruoso perto da região do parque Ibirapuera e respiro fundo. Odeio quando pegamos trânsito e precisamos ficar parando de um em um minuto.

Abro o porta-luvas do carro e busco por alguma guloseima perdida, mas só encontro uma bala de café. E eu odeio qualquer coisa relacionada ao café. É uma bebida que me deixa estranho e tem um gosto ruim e amargo, sem contar que a maioria das pessoas que a tomam, ou são velhos, ou fumantes, então passo e deixo minhas lombrigas continuarem me atacando.

A voz arranhada da Lady Gaga continua me irritando por um bom tempo, até que conseguimos sair do trânsito. É verão e o sol, radiante e quente, reflete em meu par de óculos, ofuscando minha visão. Até que minha mãe para o carro bruscamente.

— O que você acha de tomarmos um sorvete bem ali? — Ela aponta para uma sorveteria bem simples e pequena do outro lado da rua. Tenho certeza de que meus olhos estão brilhando neste momento. — Então desce do carro, meu gordinho favorito!

Não penso duas vezes e saio do carro. Acho difícil definir algo que eu ame mais do que sorvete.

Mamãe agarra minha mão e começa a me arrastar pelo braço, até que conseguirmos atravessar a rua. Respiro de forma ofegante, não sou do tipo que anda apressadamente como minha mãe. Mas, neste meio tempo, consegui colocar as peças do quebra-cabeças no lugar e perceber que ela está fazendo isso só por querer conversar comigo sobre o que aconteceu. Vem bomba por aí, sei disso.

Sento-me em uma mesinha perto da janela, que está cheia de flores à beira da morte. Ela sabe bem que morango é meu sabor favorito, então nem me incomodo em acompanhá-la. Espero durante alguns minutos, até ela voltar com os dois potinhos azuis-claros e duas latinhas de Coca-Cola light. A onda de provocação começou.

— Sabe, filhote, eu não esperava que você fosse se meter em confusão na escola. — Ela respira fundo e dá uma colherada em seu sorvete sem graça de baunilha. — O seu olho vai ficar roxo à toa, bebê!

Giro a colher dentro do pote de sorvete até o creme derreter um pouco e, com isso, sua textura ficar mais agradável. Vejo minha mãe revirar os olhos, ela odeia quando faço isso, mas não me importo. Preciso de um pouco de tempo para pensar em como vou respondê-la. Como um pouco do sorvete e tomo um pouco da Coca horrível e doce demais, depois, encaro-a bem no fundo dos olhos castanhos e nebulosos. Reparo nas olheiras sobressaídas em seu rosto branco e o cabelo desarrumado, o emprego deve estar pegando pesado com ela.

— Mãe, a senhora não sabe o que aconteceu, não foi à toa.

— Mas você não precisava se meter, meu filho! — E, de repente, vejo a preocupação em seus olhos. Ela está prestes a chorar e isto me entristece. — Já imaginou se eles tivessem feito coisa pior contigo? Eu não saberia o que fazer!

— Calma, mamãe, eu estou aqui. — Pego a mão dela e a aperto com força. — Está tudo bem, você está vendo? Só estou com um olho roxo, mas estou inteiro.

Mamãe se debruça por cima da mesa e me dá um abraço apertado. Ela quase derruba a latinha de coca por cima de nós dois. Desvencilho-me de seu abraço e suspiro. Acho que preciso contar tudo para ela.

— Sabe, mãe, eu nunca vi pessoas tão odiosas. — Dou um gole no refrigerante, buscando as palavras certas para dizer. — Como nós, humanos, podemos ser assim, tão voláteis e imprevisíveis? Ver aqueles garotos todos, contra uma garota só, vomitando insultos em cima dela, abriu um buraco no meu peito. Eu não podia ficar quieto sem fazer nada! — Sinto as lágrimas começarem a escorrer de meus olhos. Posso jurar ter visto uma delas pingar bem em cima do meu sorvete, como em uma daquelas cenas dramáticas do cinema adolescente em que a dor é tão forte, que tudo parece em câmera lenta.

Mamãe está vermelha feito um pimentão. Não sei se é por preocupação ou qualquer outra coisa, mas sinto sua mão apertar a minha com mais força. Ela me encara, despindo minha alma e todas as barreiras que criei até aqui. Ninguém jamais teve, ou terá, esse poder que ela tem. Às vezes, pego-me pensando que talvez mamãe possa ser alguma maga poderosa das terras altas, ou uma feiticeira de Avalon, tamanho o seu poder sobre mim.

— Filhote, nós somos uns bichos bem complicados de se entender. Uma hora estamos felizes, mas no mesmo momento podemos estar tristes. — Ela pega uma colherada do meu sorvete e enfia na minha boca, sabendo que este pequeno gesto, apesar de vergonhoso, pode ser capaz de me acalmar um pouco. — Mas, mesmo que estejamos no fundo de um poço escuro e frio, nada disso é desculpa para descontarmos nossa raiva em outras pessoas. E, infelizmente, algumas pessoas são más, nasceram deste jeito e talvez nunca entendam que amar o próximo não custa nada.

Suas palavras tocam minha alma como pequenas bolhas de sabão. Precisava ouvir isto, precisava saber que não sou o único que me incomodo com a falta de amor deste mundo. Mas ainda não sei o que posso fazer para mudar.

— Pois é, mamãe, mas o que eu posso fazer para melhorar isso? Às vezes, eu me sinto um inútil, que não serve para nada, uma verdadeira sombra nos corredores da escola. — Enxugo as lágrimas finais e volto a encará-la. — Eu sei que a Eloá é diferente, mas para mim ela é tão normal quanto qualquer um de nós, ela tem o direito de ser como quiser ser, poxa!

Termino de comer meu sorvete, mas não ligo muito para a coca, então a empurro para a minha mãe. Levanto-me apressadamente, quero ir para casa logo e ler um bom livro, ou sei lá, jogar uma partida de *League of Legends*, para me distrair e tentar esquecer um pouco o dia horrível que tive na escola.

— Então vamos, David, eu ainda preciso levar a Lily no veterinário. — Ela agarra a minha mão e quase se esquece da Coca-Cola fechada em cima da mesa. — Mais tarde faço um bolo e conversamos mais sobre isso, tá bom?

Apenas confirmo com a cabeça e seguimos para o carro. Não sei bem o que esperar dessa conversa, mas sei que devo dar um jeito de encontrar Eloá. Preciso saber se ela está bem e se precisa de um amigo ao seu lado.

Capítulo 03

Acordo com a luz do sol batendo em meu rosto, o que me irrita um pouquinho. Fiquei esperando até tarde para terminar a conversa com a mamãe, mas ela demorou demais no veterinário, então me tranquei no quarto e fiz uma maratona de leitura intensa. O resultado estou sentindo agora, tenho certeza de que minha cara está toda marcada por ter dormido em cima do meu exemplar de *Mistborn*.

Espreguiço-me ao me levantar da cama e corro até a toalha que está em cima da cadeira. Pego algumas roupas dentro do armário e sigo até o banheiro no final do corredor. A primeira coisa que faço, é me olhar no espelho, mesmo não gostando muito do meu próprio reflexo.

Realmente, minha cara está toda marcada e com manchas vermelhas, mas pelo menos meu cabelo acinzentado está com um brilho surreal.

Bom, chega de procrastinar. Arranco o pijama e o deixo pendurado no suporte ao lado do armarinho e corro para o chuveiro. Tento deixar a água o mais quente possível, gosto de sentir minha pele esquentar, então, fecho os olhos e começo a me ensaboar. Em poucos instantes, sinto o coleguinha lá de baixo começar a se animar e bufo com o nervosismo.

Se tem uma coisa que eu odeio na adolescência, é essa tal puberdade. Os pelos crescendo por quase todo o meu corpo, as espinhas incansáveis surgindo nas partes mais constrangedoras que elas podem aparecer e essa bendita coisa que acontece sempre que sinto a água tocar a minha pele. Graças a alguma divindade poderosa, ainda não comecei a sentir os impactos quando vejo alguém bonito na rua ou nos corredores da escola, Odin que me defenda quando isso acontecer.

Finjo não estar percebendo o pequeno David todo acordado e começo a cantarolar uma música do *Dream Theater*. Quando meus pensamentos estão totalmente focados nas batidas da bateria e nos riffs das guitarras, o dito cujo finalmente parece se aquietar e me dar paz.

Aproveito mais uns dois minutos da quentura proporcionada pela água e depois saio do boxe. Seco-me com a toalha vermelha e visto a roupa que trouxe. Saio para o corredor e já me apresso até a cozinha. Pelo visto, mamãe já foi trabalhar, mas deixou uma jarra de suco de laranja e algumas torradas com bacon cobertas sobre a mesa.

Antes de me sentar, ligo a televisão no canal de músicas para ver se está tocando algo legal, mas não está. Então me contento com o silêncio enquanto devoro meu café-da-manhã. Enquanto mordisco a última das cinco torradas, uma ideia pisca em minha mente.

Considero, pela primeira vez, que talvez consiga encontrar Eloá em alguma rede social. Havia me esquecido do quão bom sou no mundo digital, afinal, sou péssimo ao vivo e a cores, para alguma coisa deveria servir, não é mesmo? Então,termino o restinho de café-da-manhã de forma apressada e volto para o quarto.

Ligo meu computador, que anda bem lento. Até que todo o processo de inicialização é completado, ligo meu radiozinho e deixo os Beatles cantarem e preencherem o espaço vazio. Finalmente, a máquina velha está pronta para ser usada, por isso, sento minha bunda na cadeira reclinável e começo minha missão impossível de *stalker*.

Primeiro passo: entrar no Facebook.

Segundo passo: ignorar as dezenas de mensagens dizendo que sou gordo e feio.

Terceiro passo: digitar o nome de Eloá e torcer para encontrar apenas ela e mais ninguém.

Eu até temia encontrar algumas Eloás, mas a coisa está mais complicada do que eu esperava. Existem cerca de quinhentos perfis com o mesmo nome, de diferentes localidades do mundo. Mas sou forte, não vou parar enquanto não encontrar esta garota.

Passam-se mais ou menos dez minutos e não encontro nenhuma garota sequer parecida com Eloá. Penso em desistir, sou ingênuo demais por achar que vou conseguir encontrar uma garota paulistana tão facilmente numa rede social como o Facebook. Entro nos grupos do colégio, mas logo desisto, talvez ela não se sinta confortável em meio a esse povo. Ainda mais depois do que aconteceu.

Penso em desistir, mas então a pequena lâmpada da inspiração pisca novamente, fazendo-me abrir uma nova aba do navegador.

Aguardo enquanto a página do Google carrega por completo e então digito o nome dela na caixa de pesquisa. A primeira coisa que aparece nos resultados, é um blog com o nome de "O Diário de Uma Garota Qualquer", o que me deixa bem curioso. Então, mesmo sem ter a mínima noção do que ele se trata e ainda acreditando na falha total dos meus planos, clico no link.

Uma explosão de cores vibrantes brilha em meus olhos, deixando-me maravilhado. O design, apesar de simples e aparentar ter sido baseado em um quadro abstrato apenas com respingos de tinta, deixa-me encantado e ainda mais curioso. Não perco tempo rolando a página para ver as respostas ou qualquer outra coisa, clico rapidamente na sessão "sobre" do blog. Conforme a página vai carregando, uma onda de surpresa toma conta de mim, aos poucos vejo a foto de Eloá surgindo, grande e majestosa, em meu pequeno monitor. Posso jurar que, neste momento, meus olhos estão brilhando. Sinto vontade de sair pulando, cantando e dançando pelo quarto, mas tudo o que quero fazer é ler e descobrir mais sobre ela.

Eloá Souza, a Garota Qualquer

"Olá, estranho! Como você está? Tudo belezinha por aí? Bom, se você chegou até esta página do meu blog, é sinal de que me encontrou sem querer em uma pesquisa completamente aleatória do Google. Que ótimo, não é mesmo?

Talvez sim, talvez não, mas se você está aqui, nesta página, é por ter interesse em saber mais sobre mim e sobre como é ser uma garota trans.

Eu sou Eloá, a garota qualquer, que escreve neste blog como se estivesse escrevendo em um diário (Durr, é claro que ela escreve no blog como se fosse um diário, está no título, espertalhona!).

Apesar de não parecer, eu tenho só quinze anos. Tenho orgulho de ser negra, de ser uma garota trans e empoderada. E é neste blog que conto, diariamente, as coisas que acontecem comigo, sejam elas boas ou ruins pra caramba. É uma forma que tenho de colocar para fora meus sentimentos sem incomodar ninguém — por mais que incomode os preconceituosos filhos-da-mãe que caem aqui por engano, mas nada que um delete no comentário não resolva.

Como diz o título, eu sou uma garota como qualquer outra, sou fã de bandas pop, séries adolescentes e um bom sanduíche com bacon. O fato de eu ser trans, não tira meus direitos, não sou especial, não sou de outro mundo, sou apenas eu. Então, caro navegante, espero que, se continuar lendo meu blog, entenda o motivo de escrevê-lo e aprenda pelo menos um pouco comigo. Qualquer probleminha, é só clicar aqui e me enviar um e-mail. A gente bate um papo e tenta resolver, okay?"

Abaixo da apresentação da garota, há um player do YouTube com a música Shake it Off, da Taylor Swift. Confesso sentir uma certa repulsa em aperta o play, mas o faço. Preciso abrir a minha mente, principalmente agora que sei o motivo das agressões sofridas por Eloá. E, com as batidas animadas e mais legais do que eu esperava, começo a digitar um e-mail para ela. Penso cuidadosamente nas palavras que enviarei para Eloá, não quero passar uma impressão errada para ela, quero que entenda que estou aqui para o que der e vier.

Capítulo 04

Por pouco, não dormi com a cara em cima do teclado ontem à noite. Passei horas a fio só esperando uma resposta de Eloá. O botão F5 deve estar sofrendo até agora com os cliques incessantes do meu indicador gordo, coitado. Mas a resposta não chegou.

Meus braços estão doloridos por terem ficado apoiados na mesinha do computador e minha boca está com um cheiro péssimo. Corro até o banheiro para escovar os dentes antes que desmaie com meu próprio mau-hálito. Movimento a escova com tanta força que acabo sentindo minha gengiva arder. É hora de parar. Por mais que eu esteja precisando de um belo banho, deixo para mais tarde.

Sigo até a cozinha, onde encontro minha mãe preparando o café da manhã. Pergunto-me que horas são. Ela só pode ter acordado atrasada hoje, ou eu caí da cama.

— está atrasada, mãe?

Sento-me e folheio uma das revistas dela e leio uma fofoca sobre uma suposta situação tensa com a música nova da Taylor Swift. Reviro os olhos, esses tabloides de fofoca me deixam com *nojinho*. Sério, porque não deixam a vida das pessoas em paz? Por mais que sejam famosos e tal, não precisam expor tudo que acontece, pelo amor!

— Claro que não, meu anjo! — Ela se apressa para me dar um beijo no topo da cabeça. — Você é que caiu da cama mesmo, bobinho.

Retiro os olhos da revista e a encaro, chocado. Olho para o relógio acima da porta e quase caio da cadeira; 6h da manhã. Em ponto! Só posso estar ficando louco, não acordo cedo assim nem quando tenho que ir para a escola às 7h da manhã — para a minha sorte, moro relativamente perto do colégio.

Bufo, dando-me conta de que meus níveis de ansiedade estão quase rompendo o teto, e encaro minha mãe, que parece estar se divertindo com a situação.

— Hoje vou sair mais cedo do serviço, acho bom você estar com paciência para conversarmos, tudo bem?

— Certo, mamãe.

Ela me serve de um pouco de suco de laranja e torradas com bacon e ovos. Não espero muito para devorar meu café da manhã.

Levanto-me — a barriga ainda roncando — e vou até o fogão em busca de mais. Por sorte, há um pouco de ovos mexidos e duas fatias de bacon. Desta vez, ignoro o suco e procuro na geladeira uma garrafa de achocolatado. Antes mesmo de eu me sentar novamente, mamãe se despede de mim com um beijo na testa e um tapinha nas costas. Só eu e Lily — nossa gata — em casa novamente, estou começando a ficar entediado.

Vou até o quarto e pego meu *notebook*, ficar sem saber se a resposta de Eloá chegou, ou não, vai acabar me matando. Jogo-me no sofá da sala e ligo a TV no canal de games. Uma partida de *League ofLegends* está sendo transmitida ao vivo. Não sou fã do jogo, mas confesso estar gostando da guerra que se desenrola diante dos meus olhos.

Volto a fitar a tela do *notebook*, clico em minha foto e, em seguida, abro o navegador da internet. Abro meu e-mail e, para a minha surpresa, uma nova mensagem do blog "O Diário de Uma Garota Qualquer" foi recebida às 5h da manhã. Clico com pressa, meu coração parece prestes a explodir, mesmo com o frio, sinto gotas de suor começarem a se formar em minha testa.

De: thedragonmaster@outlook.com
Para: justanormalgirl@gmail.com
Assunto: Preciso falar com você, tipo, agora!

Ei, Eloá! Tudo bem contigo? Então, você provavelmente não deve saber quem eu sou pelo meu endereço de e-mail. Mas tenho certeza que vai se lembrar de mim, é o David, o garoto que levou um belo de um soco no olho naquela confusão da escola.

Preciso saber se está tudo bem com você. Aqueles caras sempre foram babacas, mas desta vez eles passaram dos limites e eu estava aqui pensando que talvez seria legal a gente dar um basta naquele reinado idiota que eles acham que têm, meio que Daenerys e Jon, acho que a gente consegue conquistar o Trono de Ferro.

Bom, você deve estar me achando um garoto louco, mas, por favor, não me ignore, estou preocupado e ainda processando tudo que aconteceu e o que li em seu blog. Espero uma resposta, okay?

Beijos,

David, o senhor dos dragões.

De: justanormalgirl@gmail.com

Para: thedragonmaster@outlook.com

Assunto: Re: Preciso falar com você tipo, agora!

Hey, nerd! É claro que eu lembro de você, bobo. E só agora estou entendendo o motivo de ter bancado o herói lá na escola, mas quero que saiba que não precisava, mesmo eu sendo grata por não ter sido obrigada a sujar minhas mãos com aquele povo nojento.

Bom, estou ótima, melhor do que nunca. E você, como está? O seu olho ainda está doendo? Você não deveria ter se colocado na minha frente, David, sua mãe deve ter ficado enlouquecida. Mas, olha, vamos mudar de assunto. Bem legal a ideia de derrubar o reinado deles, apesar de eu não ser fã de *GoT*, gostei da referência.

Qualquer coisa, cavalheiro, você pode me mandar um e-mail sempre que quiser conversar, tá bom? Eu não vejo a hora dessa suspensão ridícula acabar, só pra eu sambar naqueles corredores da escola.

Fique bem,okay?

Beijinhos,

A Garota Qualquer — thediaryofanormalgirl.com

Pode parecer bobo da minha parte, mas estou com um baita sorriso no rosto. Ainda não consigo acreditar que ela realmente me respondeu, então, belisco levemente minha orelha. Estou mesmo acordado.

O e-mail de Eloá só reafirma a garota poderosa que ela é. Uma pessoa que precisa ser respeitada e que não deixará, jamais, que alguém acabe com seu dia. É alguém que quero ter ao meu lado, que vai fazer com que me sinta bem e normal do jeito que sou. Definitivamente um exemplo que quero seguir daqui para a frente.

Vou até o quarto, inspirado para causar e pego um caderno velho. Na primeira página em branco que encontro, começo a escrever os tópicos que, se eliminados, tornarão minha vida mil vezes melhor do que ela é. Talvez eu encontre coragem de enviá-los para Eloá mais tarde quando responder seu e-mail, mas acho que precisarei trabalhar melhor do que isso.

Identidade de Gênero não é Brincadeira, post publicado por Eloá Souza no blog Diário de uma Garota Qualquer.

E aí, bebês? Antes de qualquer coisa, vou deixar uma definição bem basiquinha aqui para vocês, certo? Depois eu falo um pouquinho sobre isso e sobre o que aprendi durante minha descoberta!

"Identidade de gênero consiste no modo como o indivíduo se identifica com o seu gênero. Em suma, representa como a pessoa se reconhece: homem, mulher, ambos ou nenhum dos gêneros.

"O que determina a identidade de gênero é a maneira como a pessoa se sente e se percebe, assim como a forma que esta deseja ser reconhecida pelas outras pessoas."[1]

Bom, vocês devem estar se perguntando: pô, Eloá, o que isso tem a ver com a sua vida?

Bebês, acontece que eu nasci com um gênero com o qual eu não me identificava. E isso faz com que eu seja trans. Quando eu comecei a entender o mundo, percebi, bem dentro do meu peito, que usar bermudão e camiseta regata não era para mim. Sempre achei as roupas femininas muito mais interessantes, os cabelões muito mais bonitos e nem conto para vocês sobre maquiagem.

Nada no meu corpo parecia em seu devido lugar. De uma forma bem didática, eu me sentia uma mulher presa dentro de um corpo masculino. E a sensação era horrível. Não conseguia entender todos os pelos crescendo quando completei doze anos, a falta dos seios e, principalmente, o intruso lá de baixo.

---

[1] Trecho retirado do site significados.com.br

Chorei muito, não vou mentir. Eu só podia colocar as roupas da minha mãe escondida. Só podia pintar minhas unhas nos dias frios, pois usava luvas. Isso tudo por medo. Não queria que meus pais me odiassem, mas também queria que eles entendessem que aquele garoto magricelo e praticamente sem vida não era a filha deles.

Então, aos poucos, comecei a usar umas pecinhas de roupas femininas de umas amigas e a me maquiar na escola. E foi aí que meus pais começaram a descobrir o que estava acontecendo comigo.

Lembro-me do desespero deles quando receberam a ligação da diretora, que praticamente estava me expulsando da escola. Mamãe e papai sentaram comigo no dia anterior, eles pensavam que eu era, no máximo, um garoto gay que gostava de coisas femininas. Mas, aos poucos consegui explicar as coisas da forma mais simples que consegui.

É claro que nada foi um mar de rosas completamente cheiroso, meus lindos. Minha mãe e meu pai são aquele tipo de católicos que batem cartão na igreja. E o fato de eu ser trans só serviu para que eles se desesperassem ainda mais. Durante um mês e meio, as pessoas da igreja vinham para a minha casa e faziam aquelas novenas sem fim. E eu só conseguia chorar.

Contra tudo que eles queriam, fui pesquisar sobre o que estava acontecendo comigo e o que eu poderia fazer. Só assim entendi sobre todos os passos da transição, de como teria que fazer terapia e tratamentos hormonais, para, só então, pensar na tal cirurgia de redesignação de gênero (que vai ficar para um post futuro, certo, meus amores?).

Foi quando eu comecei a frequentar o consultório de uma psicóloga muito gente boa. Ela me ajudou a entender praticamente tudo que estava acontecendo dentro de mim e, além disso, começou a preparar os meus pais, para que eles pudessem entender melhor o que eu era de verdade, a situação que eu estava passando.

Agora eu posso dizer que eles são pessoas maravilhosas que foram colocadas no meu caminho. Minha terapia hormonal foi toda paga por eles e posso dizer que me sinto quase completa.

Apesar de todos os perrengues, o troca-troca de escolas etc., estou feliz e eles também.

Eu espero, do fundo do meu coração, que vocês tenham entendido pelo menos um pouquinho do que eu passei, do que é identidade de gênero e o que ser trans significa para mim.

Beijocas, tia Elô.

E lembrem-se: qualquer ajuda que precisarem, basta me enviarem um e-mail!

Capítulo 05

Não foi uma tarefa nada fácil, mas acabei conseguindo montar uma lista com as coisas que podem melhorar na escola. Eu até sei que não vai ser nada fácil eliminar essas barreiras, que a gente vai acabar comendo o pão que o diabo amassou com aqueles moleques metidos. Mas, bem no fundo do meu peito gordo, sei que sou capaz de começar a me levantar contra eles. Ainda mais se tiver Eloá ao meu lado.

Acho que nunca conheci alguém com tanta determinação quanto ela. A garota está disposta a lutar por aquilo que acredita, quer seu lugar de direito no mundo e, com certeza, não irá se calar diante do ódio. Ainda não sei bem se entendo tudo o que ela é, mas não sinto a necessidade disto.

Paro e olho a lista novamente em busca de algo que possa ser melhorado — não quero passar vergonha —, mas não encontro nada de tão importante assim. Abro o navegador de internet e torço para que a minha conexão esteja funcionando decentemente.

Levo cerca de uma hora para conseguir fazer o upload de um mísero arquivo com trinta e dois bytes.

— Tenha santa paciência — esbravejo um pouco mais alto do que esperava e acabo despertando Lily de seu soninho da tarde. Nem sei se minha mãe a levou mesmo ao veterinário, mas, antes de apertar "enviar" no e-mail, faço um carinho contido nela. — Desculpa aí, Bela Adormecida!

Coisas que precisam mudar para escola se tornar um lugar melhor

1–Bom, primeiro precisamos mostrar que não estamos mais dispostos a aguentar insultos — e coisas do tipo — e ficarmos calados. Foi o tempo em que eu saía da escola e corria direto para casa, metrancava no banheiro e chorava por horas.

2-Vamos mostrar para todo mundo que preconceito não passará despercebido. Já passou da hora de nos unirmos às outras pessoas que sofrem tanto quanto nós dois. Vamos botar ordem nas "autoridades" daquela escola, eles não podem continuar punindo quem não merece.

3-Estou percebendo só agora, graças a você,Eloá, que não adianta nada eu me incomodar com o que acham de mim, se eu não aceito como sou. Se eles não perceberem que eu me amo assim, gordo, eles nunca vão parar de me atormentar, nunca vão perceber que ser diferente, é ser normal.

4-Muitos vão tentar nos derrubar, mas temos que ser fortes. E só vamos conseguir isso apoiando um ao outro. Eu demorei, mas estou aprendendo que me isolar nunca foi uma solução, foi, na verdade, o maior dos problemas.

Enquanto espero uma resposta — devo ter nascido de sete meses para ser tão ansioso assim —, sinto uma pontada bem leve de orgulho, nunca pensei que precisava aprender tanto — quer dizer, meu psicólogo até havia pensado por mim, mas isso estava na lista de coisas que eu ignorava sempre que possível.

Eloá nem mesmo entrou em minha vida — não oficialmente, quero dizer — e já está me ensinando como ser uma pessoa forte.

Passei boa parte do meu tempo aqui na Terra tentando me acostumar a todas as ofensas e com todos os insultos que cruzavam meu caminho. Perdi a conta de quantos finais de semana não quis sair de dentro quarto, simplesmente por ser quem sou: um garoto gordo e nerd. E eu consegui me acostumar a tudo, mas isso foi errado. Não precisamos nos acostumar às coisas que nos fazem mal, precisamos lutar contra elas, precisamos mostrar que, se estamos nesse mundo, sendo gordos, magros, negros, brancos, amarelos, héteros ou LGBT's, ele é nosso também. Ninguém tem o direito de nos ofender por sermos quem somos. Ninguém tem o direito de tirar nossa liberdade.

Antes de começar a digitar um novo e-mail para Eloá, perguntando o que ela achou das minhas ideias, consigo controlar minha ansiedade e me levanto.

Vou até a parede do fundo do meu quarto. Há anos havia um espelho pendurado nela. Ele continua lá, só que coberto. Lembro perfeitamente o motivo de ter feito essa asneira. Eu estava no oitavo ano e Lucas, um dos garotos da minha sala, se virou para mim apenas para dizer que eu deveria sentir vergonha de me olhar em qualquer espelho e que, caso o fizesse, provavelmente o quebraria. Cheguei à minha casa aos prantos, minha mãe insistiu para saber o motivo, mas não tive forças para contar.

Então, a primeira coisa que fiz quando entrei em meu quarto, foi cobrir o espelho redondo que um dia havia sido do papai. Lembro-me de ter sentido a vontade de quebrá-lo em mil pedaços, mas era — e ainda é — a única coisa que me restava dele. E agora estou aqui, quase quatro anos depois, tomando uma das principais decisões da minha vida.

Arranco, com força, o pano preto desbotado de cima do espelho. Há algumas manchas escuras no vidro por conta do tempo, mas nada que me impossibilite de ver quão bonito eu sou. Encaro-me durante algum tempo, com lágrimas nos olhos. Meu rosto avermelhando e cheio de espinhas contrasta perfeitamente com os cachos ruivos e os olhos verdes.

Eu sou diferente, eu sou único. E não vou deixar ninguém mudar isso.

Lily está ronronando ao meu lado enquanto como pipoca e vejo a primeira temporada de Game of Thrones pela milésima vez. Uma nova temporada está prestes a começar, então, como de costume, estou revendo todas as outras temporadas antes disso, para não perder nenhum detalhe importante. Nunca se sabe quando algo, por menor e mais insignificante que ele possa parecer, será importante para entender alguns rumos tomados pela trama nesta nova temporada.

Enquanto vejo uma cena entediante entre Cersei e Jamie, começo a pensar em meu pai. Eu era muito novo, então não tenho muitas lembranças sobre ele. Tenho certeza de que éramos apaixonados um pelo outro. Poucos dias depois do meu aniversário de seis anos, papai recebeu uma proposta de trabalho em uma mineradora,lembro-me de ter chorado desesperadamente quando o vi passar pela porta e, pensando agora, até parece que já pressentia algo.

Não se passou nem um mês, até que dois homens engravatados bateram em nossa porta para pedir que mamãe fosse fazer o tal reconhecimento. Ela desabou e eu não pude fazer nada, era pequeno demais para dar qualquer apoio. Mas eu fui crescendo e, por mais contraditório que possa soar, me tornei o homem da casa. Acho que, se eu consegui aguentar todas as coisas ruins até agora, este crescimento precoce teve um papel bem significativo.

Desperto dos pensamentos com Lily tentando subir em meu colo, o que resulta em uma bela de uma bagunça, pipoca para todos os lados. Aperto o botão de pausar para congelar a cena e vou atrás da vassoura. Meu corpo está mole, cheio de preguiça e falta de vontade, mas a sala precisa estar limpa antes da minha mãe chegar do emprego. Passo um tempinho varrendo e acabo desistindo de continuar assistindo à série. Vou para o meu quarto e ligo o computar sem esperar por nada.

Enquanto ele leva a eternidade — à qual já estou acostumado — para ligar, vou até a cozinha e pego um pacote de cookies sabor chocolate. Sento minha bunda gorda na poltrona macia e acesso o *Facebook*. Notificações explodindo, caixa de mensagens transbordando. Só que desta vez não irei simplesmente ignorá-las, clico em cada uma das pessoas e as bloqueio. Enquanto rolo minha *timeline* — agora quase deserta, salvo às páginas *geeks* que curto e os familiares inúteis —, noto o sinal vermelho nos dois bonequinhos que ficam ao lado das mensagens. Tenho uma solicitação de amizade.

O mundo só pode estar ficando louco mesmo, isso jamais aconteceu.

Clico apressadamente no ícone e fico sem reação durante alguns segundos. Eloá, em toda a sua glória empoderada, acabou de me enviar uma solicitação de amizade. Em minha cabeça, sinto uma vontade absurda de sair dançando e cantando a mesma música da Taylor Swift que toca no blog dela. E, quando me dou conta, é exatamente isso que estou fazendo. Até eu perceber que nem mesmo a aceitei ainda!

Sento-me com tudo na poltrona e a ouço ranger, mas não me importo. Clico em "aceitar" sem nem pensar duas vezes. E então fogos de artifício cheios de glitter parecem explodir diante de mim quando o ícone das mensagens pisca e a pequena caixinha do Messenger surge no canto da tela.

Eloá Souza: Hey, Hey, terráqueo!

David Cardoso: Eu estou sem ar!

Eloá Souza: Como é bobo...

Respiro fundo durante alguns segundos, sinto o suor gelado escorrer do canto da minha testa, até o meu pescoço. Uma reação exagerada como esta pode até parecer boba para outras pessoas, mas elas jamais devem ter experimentado passar uma vida inteira sem amigos reais.

Eloá nem mesmo espera uma resposta minha e já me bombardeira com três novas mensagens.

Eloá Souza: Então, acabei de receber o seu e-mail.

Não vou mentir, esperava um pouco mais da elaboração.

Mas por enquanto é suficiente, mestre dos dragões ☺

David Cardoso: É, mas sabe como é com pessoas ansiosas, não é?

A gente meio que não liga de elaborar tanto as coisas, contanto que elas cheguem logo ao destino. ☺

Eloá Souza: Tudo bem, fofinho, só estou brincando! LOL

Ainda temos mais um dia de suspensão e o final de semana inteiro.

O que você acha de a gente marcar de ir ao Starbucks ou ao McDonalds?

— YAY! — grito bem alto e, para o meu desespero e vergonha, minha mãe está entrando em meu quarto.

— Posso saber qual o motivo de tanta felicidade? — Ela se aproxima como quem não quer nada. — Finalmente tirou o pano de cima do espelho do seu pai.

Mamãe se senta em minha cama, tirando totalmente minha privacidade. Sinto minhas bochechas corarem quase que instantaneamente e me viro para encará-la.

— Você quer conversar, David?

E de repente sinto um milhão de mamutes pisotearem meu estômago.

Capítulo 06

Eu quero me levantar da poltrona e sair correndo do quarto, até mesmo de casa, mas meu corpo inteiro congela. Em questão de segundos, o ar a minha volta parece se tornar mais denso, minhas articulações se transformam em gelatina e eu sinto o peso da inércia. Minha mãe, que não tem um fio de cabelo sequer fora do lugar, continua me encarando. Ela espera que eu dê continuidade à tal conversa.

Acho que nós dois sabemos que isso não vai acontecer. Nunca fui muito de falar sobre mim com ela e mamãe sabe bem disso. Meu psicólogo sempre pega pesado neste ponto, diz que a melhor forma de lidar com problemas e emoções é colocá-los para fora. Eu sei que ele quer meu melhor, sei que só quer que eu me sinta bem, mas há alguns anos criei um sistema de compartimentos secretos dentro da minha mente; como caixas de arquivos velhos, onde enfio tudo de ruim, todos meus sentimentos confusos. E os deixo lá, mofando.

Minha mãe parece estar cansada disto e não posso dizer que estou preparado para deixar com que ela invada essa sessão da minha vida.

— David, eu te dei espaço durante todos estes anos.

Ela respira fundo e em seguida se levanta, puxando o pufe vermelho que fica ao lado da minha cama. Quando se senta ao meu lado, mamãe acaricia meus cabelos da maneira que só ela sabe fazer. Sinto minha pele se arrepiar por inteiro, mas ainda não consigo dizer nada, então deixo que ela prossiga:

— Deixei o senhorzinho tentar colocar tudo em seu devido lugar, entender o que se passa dentro de você, mas acho que não dá para continuarmos deste jeito.

Apoio minha cabeça cheia de cabelos no ombro ossudo da minha mãe. Não sou muito de chorar, mas juro que quero deixar todas as lágrimas possíveis escorrerem agora. E eu deixo. Choro copiosamente até meu nariz começar a escorrer. São tantas coisas que engoli nestes anos, foram tantos os momentos em que eu só queria desaparecer...

— Eu sei que não é fácil, bebê. — Ela beija minha testa e me abraça com força. — Mas, se a vida fosse fácil, ela não teria graça. O que importa é que você aprenda com tudo isso, com todas as coisas que passou. Tenho certeza de que isso está o tornando uma pessoa forte. E, por mais difícil que possa parecer, quero que daqui para a frente, você passe a se amar mais, sem se importar com o que qualquer babaca pense, ou deixe de pensar.

Absorvo suas palavras uma a uma e as guardo dentro do meu peito. As lágrimas finalmente cessam e consigo voltar a respirar normalmente. Encaro minha mãe, seus olhos castanhos estão brilhando feito dois faroletes. Engulo em seco, já passou da hora de eu começar a falar um pouco mais com ela.

— Eu te amo tanto, mãe — retribuo, finalmente, o abraço que ela me deu há poucos minutos. — Mas eu sei que você não veio aqui só me falar sobre isso.

— Pois é, meu filho. — Ela se levanta, cruza os braços e me encara de cima. — Você acha que eu não percebi que, de repente, seu mundo pareceu se tornar mais brilhante? Por mais que a gente não converse muito, eu te conheço, David. Eu sei que algo muito especial aconteceu com você para que, num instante, sua vida ganhasse tanto sentido assim.

— Eu... — Minha voz trava, mas não preciso continuar falando, ela tem total controle da situação.

— Dá para ver nos seus olhos, nos seus sorrisos, o quão importante essa garota se tornou. — Mamãe faz um cafuné no topo da minha cabeça e ergue meu rosto com a ponta dos dedos. — Eu não preciso dizer mais nada, isso que está passando é único e deve entender sozinho. Só espero, do fundo do meu coração, que você saiba lidar com este sentimento. E, meu filho, saiba que estou aqui sempre que precisar conversar, tudo bem?

Apenas confirmo com a cabeça, minha mãe não espera eu dizer uma só palavra e me deixa sozinho no quarto novamente. Reúno e organizo tudo que acabei de ouvir. Talvez ela tenha razão, Eloá está mexendo comigo. Qualquer um, neste momento, pode me achar um completo idiota, eu nem conheço a garota direito, mas acho que finalmente entendo a lógica daqueles filmes batidos e românticos, em que os casais precisam trocar apenas um olhar para entenderem o que é amor.

Não que eu seja um completo entendedor deste sentimento, mas acho que agora acredito que amor à primeira vista existe. Só que comigo a coisa foi diferente, eu levei um soco por ela, admiro-a pela força que tem. Então, prazer, eu sou o garoto do amor ao primeiro soco.

Eloá Souza: Ei, nerdzinho!
Tá vivo?

Ouço o som estridente da notificação de uma nova mensagem apitar e finalmente volto ao mundo real. Esqueci-me completamente de que não havia respondido Eloá. Se eu estivesse no lugar dela, com toda certeza do mundo, já teria acionado o FBI.

David Cardoso: Nossa, me desculpa!
Eu estava conversando com a minha mãe e acabei me esquecendo.
Mas, olha, acho muito válido irmos ao McDonalds! Meu estômago chegou a roncar aqui. Rsrsrs.

Eloá Souza: Então está combinado!
Amanhã à tarde, vamos nos encontrar pela primeira vez como pessoas normais fazem XD
Sem brigas idiotas, com vários planos sendo planejados e tudo que temos direito!

A animação dela acaba me surpreendendo, não esperava tudo isso. A gente nem se conhece direito! Mesmo assim, meu peito parece estar prestes a explodir com tanta felicidade. Vou correndo até a cozinha e encontro minha mãe bebendo uma caneca de café enquanto lê uma revista de cultura pop. Lily está em cima da mesa, implorando pela atenção dela, mas ela nem sequer me nota, quem dirá a pobre gata.

— Mãe, planeta Terra chamando!

Estralo meus dedos gordos em frente ao rosto dela, assustando-a. A coitada quase derruba o café.

— Menino do céu, você quer me matar?

— Claro que não! — Sorrio e me sento diante dela. — Amanhã vou sair com a Eloá, vamos ao McDonalds, então vou precisar de dinheiro, okay?

Ela me encara, pensativa. Consigo notar sinais de preocupação tomando conta de seu rosto. Mamãe se levanta e enche a caneca com café mais uma vez.

— Tudo bem, David, mas, olha, não quero que você vá com tanta sede no pote assim. — Minha mãe fecha a revista abruptamente. — Por alguma ironia do destino, nós só somos agraciados com um coração. Uma vez quebrado, não há mais volta, está certo?

Apenas confirmo com a cabeça e volto para o meu quarto, acompanhado de Lily e de uma latinha de refrigerante. Não há mensagens novas de Eloá, mas precisamos combinar um horário, então, envio uma sugestão.

David Cardoso: Ei, o que você acha de nos encontrarmos na Paulista à 1h da tarde?
Daí, de lá seguimos até o Mc!

Eloá Souza está digitando...

Eloá Souza: Tudo bem, uma da tarde então!
Já vou até preparar o meu look bem barbiezinha hihihi

E, com esta última mensagem, o ícone de Eloá se apaga. Fico pensando durantes alguns instantes o que ela deve ter ido fazer, mas não consigo chegar nem perto de uma possibilidade. Vou até a estante e pego um livro romântico que ganhei da mamãe uns três anos atrás. Ele está empoeirado, não sou grande fã de romances, mas algo me diz que está na hora de eu abrir minha mente mais um pouco.

O livro tem um título estranho, é chamado "Entre o Agora ou Nunca", o que não faz muito sentido para mim. Mas, ao ler a sinopse, começo a me interessar um pouco mais pela história. Ao que tudo indica, é sobre uma garota que acabou de sair de um relacionamento complicado e decide fazer uma *Roadtrip* pelo país, e então, quando ela se depara com uma situação complicada, conhece um rapaz que vai acabar se tornando especial para ela.

Só espero que não seja um livro muito meloso, já basta o que está acontecendo comigo neste momento. Acho que sou capaz até de desenvolver diabetes com tanto doce em minha vida. E isso é bem engraçado, para falar a verdade.

É engraçado por dois motivos:

Primeiro, porque eu nunca pensei que, em questão de segundos, minha vida amarga e sem graça pudesse se tornar mais interessante;

Segundo, continuando o raciocínio acima, foi uma surpresa tudo isso acontecer por conta de uma garota. Eu pensei que nem gostasse de garotas, ainda mais garotas fortes e que se metem em brigas nos corredores da escola.

Resumindo, eu acho que realmente estou apaixonado, não só por ela, mas também por mim. E isso me dá medo, eu nunca fui muito fã de mim. E eu nunca senti essa vontade louca de estar com alguém, principalmente alguém como Eloá.

Meu mundo está de pernas para o ar. Ou talvez ele tenha apenas se acertado, ainda não sei dizer.

Capítulo 07

Ando de um lado para o outro em frente à estação. Pergunto-me o motivo de ainda não terem colocado nenhum tipo de banquinho aqui. Será que eles não percebem que, às vezes, as pessoas precisam esperar alguma coisa ou alguém do lado de fora da estação?

Estou ficando irritado, mas quem mandou eu chegar quarenta minutos antes do combinado?

O sol está deixando o topo da minha cabeça quente, tenho a impressão de que meus cabelos vão pegar fogo a qualquer momento. Observo os pombos ciscarem o chão de paralelepípedos em busca de comida, tudo àtoa, visto que ninguém teve a coragem de jogar migalhas para eles.

Pensando nisso, pego o pacotinho de biscoitos salgados que trouxe no bolso — sim, eu sempre saio preparado para um atraso, só que estou morrendo de dó dos pobres bichinhos — e os amasso até estarem totalmente esmigalhados. Lanço-os ao chão em três localidades diferentes e me divirto com a pequena guerra que acabei de causar. Um senhor para e me olha com cara de bunda. Reviro os olhos e volto a observar os pombinhos.

Fico atento às tentativas de roubo dos pombos enquanto como o que sobrou dos biscoitos e sou pego desprevenido pelas costas. Sinto um cutucão bem na minha espinha, um dedo fino obviamente. Penso em xingar quem quer que seja o responsável por me tirar de minha diversão, mas, ao me virar, deparo-me com uma Eloá deslumbrante. A garota magra e alta está dentro de um vestidinho florido, parece até uma boneca. Seu cabelo volumoso e cacheado, preso no topo da cabeça, exibindo perfeitamente os brincos de argola em suas orelhas. Ela me lança um sorriso e em seguida para ao meu lado, também fitando os pombos.

— Desculpa pelo atraso, *nerdzinho*! — Ela me derruba completamente com mais um sorriso brilhante, se eu não fosse quem sou, tenho certeza de que estaria babando igual um idiota, parecendo aqueles garotos vazios do colégio. — Mas sabe como é, não é? Eu precisava me arrumar, não podia vir para aPaulista de qualquer jeito!

Eu sou um garoto bem bobo, confesso, estou encarando-a desde que chegou e não consigo parar. Eloá deve estar me achando um completo idiota neste momento, mas fazer o que, não posso mudar toda a admiração que sinto por ela de um minuto para o outro.

Alguém, por favor, me faz parar! Estou parecendo aqueles adolescentes de filmes e livros clichês.

— Você já pode parar de me encarar, sabia? — A voz dela é algo surreal, nem sei explicar direito. — Levanta e vamos, estou morta de fome!

E então, ela começa a caminhar diante de mim. Há algo de diferente, não é um andar gracioso, mas também não é desleixado. Ela é autêntica demais para que eu consiga me expressar com perfeição.

Viramos a esquina da estação Paulista — que por alguma ironia bem louca, fica na Consolação — para só então chegarmos à avenida de fato.

A calçada está lotada, cheia de pessoas caminhando, andando de skate, bicicleta e patins. Às vezes, sinto vontade de fazer todas estas coisas, mas sempre me lembro de que vão dizer que só estou praticando exercícios por querer emagrecer.

Blá-blá-blá!

— Sabe... — Começo a dizer para ela e então paro de andar. — Eu sinto vontade de fazer essas coisas que as "pessoas normais" fazem. — Faço um sinal de aspas com os dedos no ar. — Mas, daí, me lembro de todos os sermões que eles vão me dar e acabo desistindo.

— Quais coisas, fofo?

— Tipo andar de patins ou de bicicleta. Caminhar em qualquer lugar durante o crepúsculo, ou passear na beira de um riacho e ter o prazer de tentar fazer uma pedra quicar sobre a água enquanto tento postar uma foto no Instagram.

— Poxa, deve ser chato demais se importar com tudo que as pessoas pensam, ou não, de você.

— E é. — Respiro fundo e tento dar meu melhor sorriso. — Só que agora não vou mais me importar, quero que o mundo se dane. Sei que você está me conhecendo agora e tal, mas eu estou mudando. Dê as boas-vindas ao Daviddois ponto zero.

Eloá solta uma risada um pouco contida e bagunça meus cabelos. Rio junto dela e continuamos a caminhar, estamos quase chegando ao restaurante. Conforme vamos nos aproximando, começo a sentir o cheiro de carne e das batatas fritas que tanto amo. Meu estômago solta um barulho estranho e preciso conter minha vontade de me esconder. Mas então o dela também faz um som tão furioso quanto o meu, deixando-me confortável mais uma vez.

Assim que entramos, tenho a impressão de que todos os olhares estão se voltando para mim. Sinto meu rosto esquentar, o que significa que estou ficando vermelho. Essa maldita insegurança vai me matar algum dia, mas, mesmo assim, quero sair correndo.

Se eu pudesse ler mentes, tenho certeza de que descobriria pensamentos do tipo:

"Lá vem a baleia, vai engolir tudo", "Corram para as colinas, ou sejam devorados", "Será que ele não se toca? Já tá parecendo um balão! ".

Meus olhos estão começando a ficar molhados, mas sinto o calor da mão de Eloá ao tocar na minha. Ela aperta meus dedos com força e eu a retribuo. Começo, aos poucos, a me sentir seguro novamente. Volto a caminhar até o caixa de número três, onde uma moça baixinha e branca demais está atendendo uma fila de mais ou menos dez pessoas. Todos magros e padronizados. Enquanto esperamos, viro-me para Eloá.

— Queria entender o motivo de eu ser tão criticado, de receber olhares atravessados, simplesmente por vir comer em um *fastfood* e eles aí na frente não. — Bocejo em alto e bom som, parece que o espírito do afronte está ao meu lado. — Já passou da hora disso parar, não é como se alguma dessas pessoas estivesse pagando o que estou comendo, então elas não têm esse direito de se preocuparem com o meu peso!

Eloá toca meu ombro e me lança um olhar de apoio, mas não diz nada.

Passam-se quase quinze minutos até que conseguimos pedir e pegar nossos lanches. Como no andar de baixo não há lugares vagos, subimos as escadas até a área superior do restaurante. Ao chegar lá, estou esbaforido, quase morrendo para falar a verdade. Para a nossa sorte, encontramos uma única mesa vazia e nos sentamos, enquanto saboreio minhas batatas melecadas de cheddar, ela mordisca delicadamente seu sanduíche.

— Humm, delicioso — Eloá comenta, animada. — E você, senhorzinho, nada de ficar sentindo vergonha de comer. Que se dane quem se achar no direito de julgar, está certo?

Apenas confirmo com a cabeça e coloco quatro batatas de uma vez na boca. Dou um gole na Coca-Cola gelada e sinto as borbulhas do gás coçarem minha garganta. Lembro-me de quando minha mãe me levou para comer fora pela primeira vez e eu tive medo. Medo de ser xingado, medo dos olhares incisivos das pessoas ao meu redor. Mas agora é diferente, estou tomado de uma coragem que nem parece ser minha.

E como com vontade, sem medo de ser feliz. Afinal, se eu quero mudar alguma coisa na escola, eu preciso começar pelas coisas que estão dentro de mim. E, olha, de nada adianta querer começar uma guerra com o estômago vazio.

Capítulo 08

Ah, que sensação maravilhosa, essa de estar com a barriga cheia!

Suspiro de felicidade e satisfação enquanto caminhamos para fora da lanchonete. Eloá solta alguns grunhidos, provavelmente por ter comido mais do que o seu corpo comporta. Esse é o problema com as pessoas magras, elas gostariam de poder comer até se sentirem satisfeitas, mas a anatomia delas simplesmente não as permite, é como tentar colocar uma cidade grande como São Paulo dentro de Brasília.

Sorrio com meus pensamentos e ela percebe. A garota para e me segura, uma expressão exausta toma conta de seu rosto.

— O que está te deixando tão feliz assim, sabichão? — Ela parece confusa, sem entender o motivo da minha súbita felicidade.

— Ai, só estava aqui pensando em como é bom poder comer uma boa quantidade de comida sem sentir que estou prestes a explodir! — Solto uma gargalhada monstruosa, digna daqueles filmes de terror com baixo orçamento. — Diferente de você, toda magrinha. Comeu um lanche, nem terminou o refrigerante e as batatas, e está aí, parecendo uma bomba relógio, prestes a explodir.

Um bico do tamanho de um trem toma conta do rosto de Eloá e eu só consigo rir. É engraçado, não posso fazer nada sobre isso.

— Como você é palhaço, garoto! — Ela parece nervosa o bastante, então tento conter minhas risadas.

— Ai, desculpa, é culpa do meu signo! — E eu começo a rir novamente, da minha própria piada sobre algo em que eu nem mesmo acredito.

Eloá arruma uma mecha cacheada que está tapando seu olho esquerdo e começa a me encarar furiosa. De repente, toda a graça acaba, não quero mais rir, só quero sair correndo.

— Me poupe, vai! — Sinto o peteleco na minha orelha esquerda e, instantaneamente, o ardor. Ela começa a correr e isso me irrita. — Quem chegar por último no MASP, paga o sorvete!

— Não vale! — grito, mas ela já está longe o suficiente para não me ouvir.

Caminho normalmente, sei que é uma disputa perdida. Jamais vou conseguir correr tanto quanto ela e, para falar a verdade, nem quero. Correr me cansa e eu acho uma coisa totalmente sem graça e desnecessária, por mais que minha médica insista em recomendar que eu faça isso. E é por isso que eu jamais conseguirei entender todas essas pessoas que andam com pressa para lá e para cá. Sinceramente, parece um bando gente desesperada e enlouquecida.

Bem próximo a mim, há um poste grande e colado nela, há um cartaz com formas humanoides desenhadas em defesa dos direitos de casamento igualitário.

Nosso amor é um direito!

Concordo plenamente com a luta, ainda mais neste momento em que o país vive com o presidente recém-eleito. Mas algo no cartaz me incomoda um pouco, não me sinto representado de maneira alguma. As formas são magras, padrões, os homens aparentemente de calça e camiseta, enquanto as mulheres são representadas com o típico vestido. E as coisas não funcionam assim, as pessoas se vestem de maneiras diferentes, seus corpos têm formas diferentes. Sinto-me tão cansado de todas estas normas, que nem consigo sentir raiva direito.

Até quando teremos que viver em um mundo assim, sempre padronizado e perfeitinho?

Sinto meu rosto começar a queimar de raiva e por conta do sol forte no céu. Acelero um pouco o passo para encontrar logo Eloá. Já estou começando a imaginar o sorvete gelado refrescando meu corpo e acalmando meus nervos.

Chego ao famigerado —etotalmentesemgraça — MASP e a vejo sentada em um banquinho, tirando selfies. Alguns pombos se banham na água verde e mucosa, como se o mundo ao redor deles não fizesse diferença alguma.

Por um instante, sinto que poderia ser interessante ser um pombo agora — não que eu queira estar na água podre em que eles estão —, totalmente despreocupado com a vida à minha volta, mas logo volto à realidade. O mesmo garoto nerd e gordo de sempre. E com uma baita sensação de cansaço.

Aproximo-me de Eloá sem muita pressa, não quero atrapalhá-la em seu momento de modelo. Sento-me ao seu lado com uma distância segura para não sair em nenhuma das fotos, mas ela percebe minha presença.

— Pra quê se acanhar tanto, David? — Ela envolve meus ombros com um de seus braços e me puxa para mais perto. — Vem cá, vamos tirar uma *selfie* juntos!

Sinto minha pele se arrepiar. Eu mesmo não me permito tirar fotos, elas me fazem um mal danado. Começo a querer me soltar, fazendo força, mas ela é forte demais para mim. Encaro-a, tenho certeza de que meu rosto está pegando fogo e ela está serena, parece estar mais calma do que nunca. Então, Eloá abaixa o *smartphone* e me solta, pousando em seguida a mão em meu ombro carnudo.

— David, isso não é normal. — Sinto seu carinho em minha pele. Ele vai me acalmando até os poucos, até que minha respiração começa a voltar ao normal. — Você diz para mim que quer ser melhor, que quer lutar pelos seus direitos para que ninguém mais passe pelo que passou. Eu sei que é difícil e que você já disse que precisa mudar também, mas você já parou para pensar que talvez precise de uma mudança bem maior?

— Como assim? — Não entendo muito bem o que ela quer dizer, sou lerdo.

— Amado, você já percebeu o grande número de bloqueios que estão dentro da sua própria cabeça? Não? Então, eu já percebi vários! — Ela respira fundo e me abraça com força. — E eu não sou nenhuma psicóloga e tal, mas já passei tanto tempo em terapia que eu posso dizer que você está impondo estas barreiras por medo.

Olho o lago mais uma vez, tentando não prestar atenção em nada que ela está dizendo. Mas ela continua:

— David, você precisa se conhecer melhor, se entender e, acima de tudo, se aceitar. — Ela segura meu rosto com as duas mãos e o vira para ela. Seus olhos castanhos brilham com o sol de fim de tarde, adquirindo uma tonalidade dourada e única. — Eu acho que seria uma ótima ideia você começar a ver...

— Eu já passo por um psicólogo mensalmente! — Acabo gritando ao interrompê-la. Eloá me encara, faíscas de raiva brilham em seus olhos e quase tenho um treco.

— Então parece que você precisa ver mais o seu psicólogo, só uma vez ao mês não está ajudando!

Por mais que suas palavras façam sentido, recuso-me a deixá-las se fixarem em minha mente, não quero pensar nestes assuntos. Não agora. Então, levanto-me apressadamente e sinto minha bunda doer por conta do concreto duro onde eu estava sentado.

— Bom, eu acho melhor nós irmos tomar o sorvete logo, está ficando tarde e minha mãe deve estar ficando doidinha de preocupação. — Essa é a melhor desculpa que consigo inventar para fugir do assunto e então, para melhorar meu plano de fuga, começo a caminha em direção à avenida mais uma vez.

Sinto Eloá caminhando ao meu lado, mas ela não diz uma palavra sequer. Talvez ela tenha compreendido que preciso de um pouco de espaço para colocar tudo que ela me disse em ordem, para, só então, conseguir tomar uma decisão.

Não demoramos muito com o sorvete, eu quero ir logo para casa. Então, descemos as escadas do metrô juntos. Mas precisamos nos separar.

— Bom, David, espero que tenha entendido tudo que eu quis dizer. — Eloá lança uma piscadela para mim. — Nos falamos pelo *Facebook*, está certo?

Apenas confirmo com a cabeça e a deixo seguir para sua plataforma enquanto sigo para a minha. Minha cabeça parece prestes a explodir com tantos pensamentos.

Será mesmo que eu sou capaz de mudar algo neste mundo? Talvez eu precise mudar o que está dentro de mim primeiro.

Capítulo 09

Pela primeira vez em toda minha vida, estou ansioso para pisar nos corredores da escola. O final de semana passou mais rápido do que eu esperava — para a minha sorte, visto que eu o passei inteirinho me esquivando das perguntas da minha mãe — e agora estou aqui, quase pronto para ir ao colégio.

Vou até o espelho do papai. De início algo dentro de mim tenta me impedir de prosseguir. Sinto como se neste momento eu fosse Dorian e o espelho fosse a pintura envelhecida. Se este fosse o caso, eu jamais poderia encarar o bendito espelho, se o fizesse, morreria quase que instantaneamente. Mas é só a velha herança que o meu pai me deixou, nada mais.

Penso nas palavras de Eloá, sobre eu precisar de ajuda para superar estes meus bloqueios e tal. E talvez eu precise mesmo, não posso me considerar normal e completamente são quando morro de medo de encarar minha imagem refletida na porcaria de um espelho velho. Então, sem muita cerimônia, forço-me a me encarar.

Meus cabelos estão mais bagunçados que o normal, os cachos ruivos estão desorganizados e quase sem forma. Uma maldita espinha está fazendo seu caminho até a superfície do meu queixo — que já é bem grandinho sem a ajuda dela —, então corro até o banheiro e apanho um dos cremes de cabelo da mamãe.

Lambuzo as mãos e começo a massagear meus cabelos até que o visual deles esteja aceitável. Em seguida, procuro o creme antiacne que ela comprou para mim e aplico uma pequena quantidade sobre a região dolorida.

Sigo até a cozinha e, como sempre, o café-da-manhã já está servido. Sento-me de frente para a minha mãe, que parece estar mais cansada do que o normal. Sirvo-me de um copo de achocolatado, ovos e bacon e me preparo para forrar meu estômago. Encaro mamãe e tento pensar no que pode ter acontecido para que ela esteja tão exausta, mas não consigo imaginar nada. Tudo parece normal, em seu devido lugar. Talvez seja coisa minha cabeça — achar que ela está abatida, quero dizer —, talvez eu ande prestando muito a atenção nela.

— Bom dia, filhote — Suas palavras são cortadas por um bocejo desajeitado e preguiçoso. — Preparado para voltar à escola?

— Ai, sei lá! — Dou uma golada no meu achocolatado e uma garfada no bacon para acalmar meu estômago. — Eu estou tentando ser uma pessoa melhor, então acho que voltar, mesmo depois de passar só três dias fora, vai ser interessante. Mas vamos mudar o foco dessa conversa. O que aconteceu com você, mãe?

Ela me encara sem entender bem minha pergunta. Dá um gole no café à frente dela, pensando no que vai dizer. Suas unhas bem-feitas tamborilam por sobre o mármore da mesa, elevando minha ansiedade a um nível altamente perigoso. Alguns segundos depois, sem aguentar toda essa enrolação e o barulho irritante das unhas, coloco minha mão por cima da dela, tentando acalmar a nós dois.

— Como assim, garoto? Está tudo bem comigo!

Ela respira fundo e desvia o olhar. Se levanta apressadamente em busca de mais uma caneca de café fervendo e se senta. Em questão de instantes, mamãe acaba devorando dois waffles cheios de mel. Ver a cena se desenrolar diante de mim causa calafrios por todo o meu corpo.

Acho que mel é a única coisa que suporto menos que café. O gosto exageradamente doce, sem um sabor definido e a textura viscosa me embrulha o estômago. O que é péssimo, pois, sempre que estou gripado, a primeira coisa que ela me obriga a tomar, é chá feito com mel.

— Não se finja de boba, senhorita! — Sorrio, tentando aliviar a tensão. A imagem dos waffles cheios de mel ainda me aterroriza. — A senhora está abatida, faz muito tempo que não a vejo assim!

Ela limpa a garganta com uma tosse tão falsa quanto o amor forçado entre Jon Snow e DaenerysTargaryen.

— Ai, filho, eu só não consegui dormir direito noite passada. Tive um sonho estranho, sabe?

— Se eu soubesse, não estaria perguntando o que aconteceu, não acha?

Mamãe sorri para mim, o velho e radiante sorriso de sempre; que ela pagou caro para ter, vale lembrar.

Minha mãe revira os olhos, tentando se esquivar da minha pergunta. Quando ela está prestes a se levantar, coloco minha mão sobre a dela. De repente, parece que trocamos os papéis. E isso não é muito legal.

— Poxa, eu não sei explicar,David, nele você meio que fugia de mim. — Ela respira fundo, o ar que sai por sua boca faz os guardanapos se remexerem no suporte metálico. — E isso me deixou bem assustada, tive a impressão de que estava acontecendo de verdade.

Ainda não estou conseguindo lidar com o tombo — figurativamente — que levei com as palavras dela, por isso penso durante alguns segundos antes de dizer qualquer coisa. Não consigo entender direito o que está causando este súbito medo na mamãe, acho que nunca dei motivos para que ela sequer pensasse na possibilidade de me perder.

— Mãe, olha bem aqui para a minha carinha fofa! — Os olhos dela estão marejados e eu preciso me segurar firmemente para não começar a chorar feito um bebê idiota. — Parece que eu sou capaz de sair da barra da sua saia? — *Pelo menos não agora*, penso.

Ela se levanta da cadeira, fazendo um baita estardalhaço com o metal arranhando a cerâmica do chão, e se posta ao meu lado. Mamãe me abraça com força, o que arranca o pouquinho de ar que estava em meus pulmões há pouco. Tusso com o incômodo, mas me forço a retribuir o gesto dela apertando as mãos pequenas em meus braços.

— Olha, filhote, você nunca vai precisar sair da barra da minha saia, visto que eu não uso. — Ela dá um risinho fofo e contido. — Mas eu espero que você um dia seja dono do seu próprio nariz, só não agora. Você ainda está muito novo, tem muito o que aprender. Então, quero lhe dizer mais uma vez: tome cuidado com o seu coração, deixe as coisas acontecerem no seu devido tempo. Está certo? Coração a gente só tem um, uma vez quebrado, não há conserto!

Após suas palavras entrarem por meus ouvidos e tocarem uma parte desconhecida do meu coração, olho para o relógio da cozinha. Assusto-me, tenho cerca de trinta minutos para chegar ao colégio. E eu não quero perder este primeiro dia — abrindo aspas gigantescas com meus dedos imaginários — nem que eu tenha que correr uma maratona para conseguir chegar a tempo.

[Rascunho não publicado] O dia em que eu passei a acreditar no famoso instalove, escrito por Eloá Souza.

Olha, eu não sei nem como começar a escrever este post, mas estou segurando na mão de minha mãe Oya e tendo fé que ele vai ficar lindo (por mais que ele fique guardado na gaveta).

Bom, pensa numa pessoa que já estava cansada de ler livros e assistir séries com o famoso instalove (ou amor à primeira vista). Sério, eu não conseguia acreditar que as pessoas pudessem passar a amar umas às outras tão rapidamente. Ainda mais com as execuções péssimas da CW e companhia. Só conseguia revirar os olhos.

Mas eis que conheci um garoto especial...

Já estava conformada por não ter alguém pra chamar de meu amor, de verdade, mas as coisas começaram a mudar desde que ele se colocou na minha frente. Naquele dia, quando ele se levantou contra quem só queria meu mal, pude ver que nem todo homem é um ser perdido e que ainda posso ter alguma esperança nessa humanidade mesquinha e sem amor.

David, um garoto lá da escola, tem sido uma luz no fim de um túnel de escuridão, medos e tristezas. Ele tem me dado mais força do que qualquer pessoa (além dos meus pais, é claro) foi capaz de me dar.

E eu acho que a comichão que sinto toda vez que nos vemos é, de fato, essa coisa chamada de amor.

Eu não quero me precipitar, então estou dando espaço pra ele entender tudo o que está acontecendo entre a gente. Só que eu consigo ver nos olhos do garoto que ele sente a mesma coisa que eu.

Só não sei até que ponto vou conseguir me segurar.

Capítulo 10

Meu coração começa a bater tão fortemente quando piso dentro do colégio, que posso jurar conseguir sentir seu pulsar em meu pescoço. Forço-me a caminhar por entre os alunos de cabeça erguida, sem os habituais fones de ouvido.

Pela primeira vez em minha vidinha sem graça, não quero me encolher ao ouvir algum comentário ruim a meu respeito. Quero lutar, mostrar que tenho tanto direito de estar aqui quanto eles. Meu peso, minha baixa estatura ou as sardas em meu rosto não me definem como algo ruim, as pessoas precisam aprender isso.

Caminho descontraidamente, observo detalhes que nunca havia reparado — como, por exemplo, as margaridas floridas enfileiradas ao lado da entrada principal da escola — e isso, de certa forma, faz com que eu me sinta um pouco mais vivo do que me senti ontem.

Pode ter demorado um pouco, mas acho que finalmente estou conseguindo traçar uma linha entre as palavras viver e sobreviver. Eu achava que vivia antes, era um garoto idiota e cheio de bloqueios — sei que ainda tenho alguns que preciso trabalhar, mas agora é diferente — e que, na mais pura verdade, apenas sobrevivia.

Aquele velho conceito de "um dia após o outro" sempre fez total sentido para mim. Mas não agora, preciso — e devo — começar a viver de verdade, já está mais do que na hora de sair da "segurança" que criei com todas as minhas barreiras e livros de ficção. Este mundinho aqui do colégio pode ser perigoso e ameaçador por diversos motivos, mas não quero mais deixarque minha aparência, ou timidez, seja o principal deles.

Viver cada dia como se fosse o último, cada momento intensamente. Este é meu novo mandamento. Que as pessoas lidem com ele. Como ouvi dizer um dia desses: atura, ou surta.

Quando volto a dar conta do mundo real à minha volta, estou no caminhando no meio do corredor sem me preocupar com nada ao meu redor. Não estou, como de costume, nos cantos, escondendo-me ao máximo. Isso me dá um certo frio na barriga, mas continuo minha caminhada da glória com toda a força e todo o prazer que posso sentir neste momento.

De longe, vejo Eloá guerrear com o bebedouro que se recusa a soltar água. A frustração está evidente em seu rosto. Apresso para pegá-la de surpresa e uso o máximo da minha atenção para ser silencioso.

— Por Deus, David! — Ela respira fundo e limpa um filete de suor que estava prestes a escorrer da testa até o olho direito. — Você quer me matar de susto, garoto?

Sorrio para ela e não digo nenhuma palavra, apresso-mee dou dois chutes na estrutura metálica e velha. Um jato descontrolado de água jorra e quase molha a garota. Prontinho, problema resolvido.

— Bom, agora é só você sempre fazer isso. Eles nunca arrumam essa porcaria. — Dou um abraço em Eloá, mesmo sem saber se já tenho este nível de intimidade. Para a minha surpresa, sou retribuído.

— Ai, essa porcaria sempre dá um trabalhão para sair água... — Ela respira aliviada. — Mas esquece! Como você está?

— Eu... — Respiro fundo, talvez esteja na hora de eu começar a colocar meus sentimentos para fora sempre que possível. — Sabe, pela primeira vez, estou tranquilo, não estou sentindo medo, muito menos vergonha. Estou feliz.

O sorriso gigantesco e brilhante de Eloá chega a me arrepiar. Não que seja um sorriso perfeito, quase ninguém numa classe social como a nossa consegue pagar um tratamento para deixar todos os dentes perfeitamente alinhados. Mas algo em seu sorriso, na maneira como ele parece natural e sincero, me emociona.

Quero abraçá-la, mas me limito a um toque no ombro enquanto ela pega os livros que usará nas aulas de hoje. Eloá se volta para mim, desta vez com um sorriso mais contido.

— Que ótimo, David! — Suas bochechas estão meio vermelhas, não sei se por timidez ou por conta de alguma maquiagem. — Eu sei que você nem se importou em me perguntar, mas eu estou bem também, pronta para mais um dia de luta.

— Merda, eu sou um babaca mesmo! — Fecho minha boca com o arrependimento, na esperança de que ela me desculpe, mas não sei se funcionou. — Me relaciono tão pouco com as pessoas, que às vezes me esqueço da importância que palavras como "tudo bem", "bom dia", "olá" etecetera podem ter. Preciso trabalhar nisso também, então me perdoa, okay?

Eloá ri da minha cara de cão arrependido e começa a andar pelo corredor. Sigo-a como se fosse meu primeiro dia de aula e ela fosse minha guia. Eu estaria mentindo caso dissesse que não estou percebendo os olhares desconfiados que se voltam em nossa direção, mas tento não me importar com eles. Até que chegamos perto dos banheiros.

Maicon está conversando com a turma de acéfalos que o segue. Encolho-me tentando evitar que eles me vejam, mas Eloá continua caminhando como se não estivesse nem um pouco preocupada com a presença deles a poucos metros da gente. Respiro vagarosamente, tenho medo de que o som do ar entrando e saindo dos meus pulmões possa despertar a fúria deles.

Eu não deveria estar me sentindo assim, mas não consigo evitar. Quero sair correndo pelo corredor até a saída do colégio. Quero implorar ao diretor para que ele me dê mais alguns dias de suspensão. Pensei que estava preparado para tudo isso, mas me iludi, ainda há muito o que fazer para que eu tenha a força que Eloá tem.

Depois de alguns minutos de muita tensão e uma camiseta ensopada com o meu suor, passamos pelos monstros raivosos com segurança. Respiro fundo pela primeira vez desde que os vi e pego minha garrafinha de água, preciso me hidratar. Eloá, com toda sua tranquilidade, para diante da sala de Biologia e se vira para mim.

— Meu Deus, parece que uma boiada passou por cima de você, David! — Ao mesmo tempo em que ela parece preocupada, também parece estar prestes a explodir em risos.

— Sério que você não sentiu nem uma pontinha de medo daqueles babacas? — A encaro, ainda meio ofegante.

— Medo de quê? — Ela sorri e dá de ombros entrando na sala e me deixando sozinho no corredor ainda lotado.

Corro para a aula de matemática. Meu coração começa a palpitar só de lembrar que precisarei prestar a atenção à aula chata e entediante da professora Alana. Não é que eu não goste de matemática e dos números, eu até amo, mas algo na aula dela faz com que eu sinta sono ou, simplesmente, vontade de arrumar um portal que me leve diretamente para Nárnia.

E é basicamente o que acontece. Enquanto Alana fala sem parar, começo a desenhar coisas sem sentido. Dragões, elfos, fadas e todos os tipos de criaturas fantásticas começam a povoar meu caderno amarelado. Sei que não sou nenhum desenhista profissional e que muitas pessoas, se pudessem ver o que desenho ocasionalmente, achariam tudo uma perda de tempo. Só que desenhar me acalma, deixa minha mente como um céu ensolarado e cheio de paz.

Entre um desenho e outro, levanto os olhos para fingir que estou prestando atenção à aula. O que mais me irrita, nas aulas da professora Alana, é que ela nos passa conteúdos que vimos no ano passado, matemática básica e longe do que precisamos aprender agora. E ela nem mesmo parece se importar com o que a sala está fazendo.

Ao fim da aula estou com as dobras dos dedos doendo. Para a minha alegria, ouço o sinal do intervalo tocar. Acho que nunca esperei tanto por este momento em toda a minha vida escolar.

Apresso-me para guardar meus materiais e sigo para porta.

— David, posso falar contigo antes que você saia? — A voz de Alana ganha minha atenção.

Reviro os olhos (isso está se tornando um hábito, ultimamente) antes de voltar para a mesa da professora.

— Claro, prof.!

Ela tamborila as unhas grandes e vermelhas sobre a mesa. Seus dedos são secos e acabam me assustando um pouco.

— Percebi que hoje você quase não prestou atenção na aula. Está com algum problema que gostaria de compartilhar comigo, querido?

Olha, eu não sei o que está se passando na cabeça dessa mulher, mas será que ela não conhece o conceito de espaço pessoal? Quero sair correndo e deixá-la falando sozinha, mas isso só vai piorar as coisas.

— Nada, não! — Forço um sorriso digno das séries *flopadas* da *Freeform*, mas não pareço convencê-la. — Eu já conhecia o conteúdo e não queria atrapalhar a aula, então fiquei desenhando, só isso.

Alana me lança um olhar desconfiado e apenas sinaliza para que eu saia da sala. Bom, pelo menos ela não me perguntou mais nada. Apresso-me até o pátio da escola. Acabo esbarrando em vários alunos durante o caminho. Eles, como sempre, comentam sobre meu tamanho e coisas do tipo, mas não tenho tempo para me importar.

Ao chegar ao pátio avisto Eloá sentada em um banquinho perto da quadra tomando um suco enquanto digita uma mensagem de texto. Como esqueci completamente de passar meu número para ela, tenho certeza de que não é para mim.

Quando finalmente chego a ela, estou esbaforido. Parece até que corri uma maratona inteira. Meus pés doem um pouco, então me jogo ao lado dela e respiro fundo.

— Aff, você acredita que eu tive que explicar para a professora de matemática que eu não estava afim da aula dela?

Ela me encara e, antes de me responder, termina de digitar a mensagem.O barulho que as unhas cumpridas dela fazem ao tocar no vidro do celular me irrita um pouquinho, mas não digo nada.

— Sério? Ainda bem que não tenho aula com ela! — Ela sorri e guarda o celular no bolso da jaqueta jeans que está vestindo. — Mas e aí, tudo tranquilo?

— Tudo pleno por aqui! — Sem pensar muito, apresso-me e a surpreendo com um abraço de urso. Eloá está surpresa demais para falar qualquer coisa, então a solto e continuo. — Eu estava pensando aqui, o que você acha da gente montar algum tipo de grupo de resistência, tipo aqueles que a gente só vê em filmes adolescentes dos Estados Unidos?

Enquanto Eloá pensa um pouco, aproveito para devorar o lanchinho que minha mãe preparou para mim. Se pão com mortadela e maionese não é a melhor coisa do mundo, não sei dizer o que é!

— É uma boa ideia. — Ela rouba um pedaço do meu pão sem nem pedir. Encaro-a com cara feia, mas logo sorrio. — Mas primeiro a gente precisa definir as ideias desse grupo e se há a possibilidade de alguém participar, não é?

Antes mesmo de eu terminar meu lanche e responder Eloá, o sinal marcando o fim do intervalo agride meus ouvidos. Dou um pulinho no banco e minha bunda dói um pouco quando toca o concreto novamente. Eloá se levanta, mas a seguro pela mão.

— Espera aí! — Tiro meu celular do bolso, destravo e entrego para ela. — Anota seu número, por favor.

Ela o faz rapidamente e entrega o aparelho para mim.

— Agora preciso ir, Dê — ela sorri. — Não quero arrumar encrenca com meu professor de português.

Sorrio de volta para ela e me levanto sem muita pressa.

— Está certo. — Antes dela realmente ir embora, dou outro abraço apertado na garota. Isso está se tornando um belo de um costume, não é mesmo? — Se a gente não se ver na saída,mando uma mensagem mais tarde, hoje tenho encontro com meu psicólogo.

Eloá lança um beijinho no ar e sai desfilando. Os cachos negros do cabelo dela balançam com o movimento de seu corpo e brilham esplendidamente.

Pelo resto do meu dia nesta escola infernal, a única coisa em que consigo pensar é nela. Em como Eloá mexe comigo, na forma como cada palavra, cada sorriso, cada toque, faz com que eu me sinta mais especial, mais amado. E, pela primeira vez, me sinto realmente bem dentro desta escola.

Capítulo 11

— E aí, David? — Paulo, meu psicólogo, está com um sorriso muito bonito hoje.

Ele é bem novo, deve ter uns trinta e cinco anos. Tudo no corpo dele é no devido lugar, a pele negra é tão perfeita, que chega a reluzir. E hoje ele parece estar em um dos seus melhores dias.

— Como tem sido seus dias, garoto?

Não há nada de tão importante na sala em que ele me atende — ela fica em um hospital público, então nem dá para esperar muita coisa —, as paredes são brancas e sem vida. Os três diplomas emoldurados me deixam com um pouquinho de orgulho por estar sendo atendido por alguém tão estudado. Sempre que venho aqui, me pego imaginando em meus anos de faculdade, das alegrias com o diploma e, finalmente, o trabalho conquistado. Mas eu ainda nem sei o que quero fazer. Pergunto-me quase todo santo dia se devo estudar artes plástica ou talvez biologia, mas ainda não sei mesmo.

— David? —

Dou-me conta do mundo real ao meu redor com a voz grossa e rouca do doutor Paulo. Dou algumas piscadas e respiro fundo, tentando me lembrar da pergunta dele.

— Nossa, me desculpa! — Tento sorrir o máximo que posso, mamãe sempre diz que meu sorriso bobo desmonta as defesas de qualquer um. Nada melhor do que ter algumas armas ao meu favor. — Então, eu não sei nem explicar direito, mas eu estou começando a me sentir tão bem...

Meu desejo neste momento é terminar todas as minhas frases com gritinhos. Bem do tipo garota adolescente mimada mesmo. Mas me lembro de que estou no consultório de um psicólogo, para ele mandar me internar é uma questão de segundos, então me contenho ao máximo.

— Fala mais sobre isso, garoto! — Ele abre um sorriso enorme, branco e com todos os dentes em seus devidos lugares. — Você sabe que, quanto mais a gente falar sobre as coisas boas da sua vida, melhor, não é?

Confirmo com a cabeça e tento organizar tudo o que aconteceu nos últimos quatro dias. Lembro-me de cada parte significativa que tem me feito bem. E eu não consigo negar, por mais que eu queira, que tudo envolve apenas Eloá. Ela tem sido uma espécie de alicerce, algo que me mantem firme e com vida.

— Então, eu conheci uma garota nova essa semana... — É impressionante como a imagem dela se forma em minha mente instantaneamente. — Ela é forte, determinada. E o mais engraçado é que nos conhecemos no meio da maior treta que a escola já viu. Por mais que ela tenha sido humilhada, conseguiu se manter firme, sabe, doutor Paulo? Tudo o que ela é, o que Eloá representa, me inspira a me amar e a ser forte.

O médico faz pelo menos quatro, ou cinco, anotações em sua caderneta enquanto eu falo sem parar em Eloá. Às vezes fico meio possuído com uma vontadezinha de esperá-lo virar de costas só para ler o que ele pensa sobre mim. Só fico com vontade mesmo.

— Isso é ótimo, David! Mas você precisa tomar cuidado também, para não acabar criando uma relação de dependência, entende?

Ele me encara, não esperando uma resposta, mas me analisando. Tenho plena consciência de que Paulo está levando em consideração todas as linhas do meu rosto. É como se ele estivesse fazendo alguma espécie de autópsia para descobrir tudo o que guardo aqui dentro.

— Sua felicidade não pode depender de ninguém, além de você. Então, coloca aí na sua cabecinha que você está feliz por ter feito uma nova amizade e que quer melhorar. Não por ela, nem por ninguém, mas por você.

Eu gostaria de ignorar suas recomendações, gostaria de poder dizer que ele está errado. Mas bem no fundo do meu peito, sei que não é o caso. Encaro-o, sem saber o que dizer. Em minha mente, que poder falar que não vai acontecer, que tenho plena consciência de que preciso ser feliz por mim, não por ninguém. Só que é impossível negar o papel de Eloá nisso tudo.

— Não vou prometer que não vai acontecer, doutor Paulo, mas darei o meu melhor. — Respiro fundo e me levanto para pegar um copo d'água. — Só que a Eloá está fazendo com que eu veja o mundo de uma forma diferente, sabe? É como se tudo tivesse mais brilho, mais cor. E eu nem te contei ainda, mas descobri o espelho do meu pai esta semana.

No pequeno espaço de tempo que leva para que eu me sente novamente, Paulo faz mais um milhão de anotações na caderneta. Nada de sorrisos desta vez, apenas uma olhada incisiva o bastante para me fazer gelar.

— Bom, eu espero, do fundo do meu coração, que no nosso próximo encontro você esteja mais feliz do que está hoje. — Ele se levanta, vem até a mim e coloca sua mãe pesada em meu ombro. Seus olhos brilham como diamantes negros refletindo a luz do sol. — Por hora, acho que estamos bem por hoje. Eu estava cogitando fazer sessões semanais contigo, mas talvez não seja necessário.

Despeço-me dele sem muita cerimônia. Juro que, se não fosse tão tímido, teria saído da sala saltitando. Mas sigo como sempre, quieto e com passos lerdos para não fazer qualquer tipo de barulho.

Coloco meus fones de ouvido e deixo Metallica fazer seu trabalho enquanto espero pelo ônibus. Para minha sorte, não demora mais do que dez minutos.

Ao entrar, me deparo com um lugar vazio bem no fundo. Para melhorar a situação, é uma daquelas poltronas únicas, então ninguém vai ficar fazendo cara de bunda para mim por conta do meu tamanho.

Sento-me, saco o celular no bolso e começo a digitar uma mensagem para Eloá.

Eu: Meu supremo Deus Afogado, nunca gostei tanto de ir ao psicólogo, como hoje!

Eloá: Me conta mais sobre isso, fazendo o favor!

Detalho toda a experiência para que ela leia. Um verdadeiro textão,daqueles que todo mundo reclama nas redes sociais, devo dizer.

Enquanto aguardo a resposta dela, faço uma pesquisa rápida na internet sobre fones de ouvido. Preciso muito trocar os meus. Toda vez que uma batida mais grave toca, ouço ruídos que me doem na alma.

Espero que mamãe possa me dar sessenta reais para comprar a belezinha que estou contemplando neste momento.

Eloá: Ai que tudo! Mas,amigo, ele tem bastante razão e tal, você não pode achar que só é feliz por minha causa,okay?

Eu: Fica *tranks*, mulher!

Eloá: Dê, eu preciso voltar a fazer a janta agora, okay?Depois a gente conversa mais. PS: Vá ler meu post novo!

Passo o resto da viagem contemplando a foto que ela me enviou junto com a última mensagem. Os cabelos volumosos estão presos num coque tão bagunçado que chega a ser lindo. Eloá está usando luvas de silicone cor-de-rosa enquanto pica alguns cogumelos esquisitos. Não suporto fungos. Na verdade, como é que alguém pode suportar? Dentro da mesma família tem o mofo. E mofo não é legal. Mas o entusiasmo estampado no rosto dela me faz sentir vontade de devorar cada pedacinho daquelas coisinhas *borrachentas*.

Como toda ironia do destino, eis que desço do ônibus, faço todo o logo trajeto de — pasmem! — dois minutos até a minha casa com a barriga roncando, só para me deparar com mamãe cozinhando cogumelos ainda mais estranhos!

— Isso só pode ser brincadeira! — grito e acabo assustando minha mãe.

— Mas o que é que está acontecendo, senhor David? Está querendo me matar, é? — Ela me encara com o rosto fervendo de raiva.

— Não senhora, dona Cida. — Coloco a mochila em cima de uma cadeira velha, que fica ao lado da geladeira apenas para juntar quinquilharia e me sento de frente para o fogão e rio para mamãe. — Só que a Eloá acabou de me mandar uma foto cozinhando e advinha só: ela estava fazendo CO-GU-ME-LOS!

Mamãe sorri, bem mais calma do que momentos atrás. Ela se senta diante de mim e suspira. Seus cabelos castanhos estão envoltos em uma espécie de toca, para que não caiam na comida. É assim que as coisas funcionam por aqui, mamãe é enfermeira, então sempre está preocupada com bactérias e coisas do tipo.

— Esse não é um cogumelo qualquer, bobinho! — Ela se levanta e pega a bandeja para me mostrar. Como se eu fosse um aluno de uma turma de culinária e ela, a professora. — Conheça o shimeji, mais conhecido como comida dos deuses!

Sério, fito as coisinhas esquisitas. Em minha cabeça só consigo pensar em minhocas com a cabeça preta e achatada. Não consigo acreditar que algo que tenha essa aparência possa ser gostoso. Mas se ela está falando, quem sou eu para duvidar, não é?

— Eu sei que o senhorzinho não suporta cogumelos, mas acho que você deveria experimentar esse.

Tento fazer minha expressão de gente pensante e totalmente intelectual, mas devo ter falhado miseravelmente, pois mamãe começa a gargalhar apontando para a minha cara sem parar.

— Juro que só vou experimentar essas minhocas esquisitas se você parar de rir da minha cara!

Me levanto antes que ela possa dizer qualquer palavra, bocejo por pura preguiça e deixo com que ela termine o jantar. Sigo para o meu quarto e deixo com que meu *notebook* lerdo se inicie enquanto tomo um belo de um banho. Mal posso esperar para ler o tal post da Eloá.

A Importância de Resistir, um post de Eloá Souza, publicado no blog Diário de uma Garota Qualquer

Se tudo estivesse de acordo com meu cronograma, este seria um post feliz sobre o meu novo colégio. Mas são tempos sombrios, meus caros. As pessoas estão se tornando seres cada vez mais odiosos e sem limites. E nós precisamos bater de frente contra isto.

De verdade, eu estou cansada. Sei que geralmente venho aqui falar sobre as coisas boas da minha vida, sobre como minha família me aceita e tudo mais. Mas há alguns dias passei por um baita perrengue.

Meu dia estava seguindo normalmente, ninguém parecia saber quem realmente sou. Eles acreditavam que eu era uma garota como qualquer outra (não que eu me veja de outra forma, por favor!). Só que, tudo começou a ficar estranho quando eu estava saindo do intervalo.

As pessoas (pelo menos metade dos alunos no corredor) me olhava de um jeito estranho, alguns riam e apontavam. Até que uma montanha acéfala de músculos me arrastou para fora do banheiro. Por bem pouco não fui agredida fisicamente. Se não fosse um outro garoto, talvez isto houvesse acontecido.

Bom, agora acho que vocês conseguem entender o ponto em que quero chegar. Nós, minorias (sejamos negros, gays, lésbicas, bis, aces, trans ou gordos) precisamos nos unir. Se não nos levantarmos, se não apoiarmos uns aos outros, nós seremos massacrados.

Agora, com nosso recém-eleito presidente, as coisas só tendem a piorar. E eu não sei vocês, mas não quero voltar a me esconder em um armário velho e empoeirado.

Então, aqui vai meu apelo: por favor, não deixem de militar, não se escondam.

E, sério, tomem muito cuidado, não confiem em qualquer pessoa. A maldade está onde nós menos esperamos.

Beijocas da garota qualquer!

Capítulo 12

Termino de ler o post da Eloá com um baita sorriso no rosto, que logo some quando me lembro que ainda estou com fome, pois me esqueci completamente de jantar.

Corro até a cozinha e me deparo com mamãe arrumando a mesa para nós dois comermos. Não devo ter demorado tanto, no fim das contas. E o cheiro está tão bom que quase me esqueço dos cogumelos-minhocas que ela estava preparando há pouco.

Sento-me de frente para ela e espero até ela colocar as panelas na mesa. Minha boca está salivando. Minha mãe está bem contente, por nenhum motivo aparente. E isso me deixa feliz por ela.

— Vamos comer, filho, você deve estar morrendo de fome, não é?

Apenas confirmo e começo a abrir as panelas. Arroz branco, carne grelhada, batatas feitas na manteiga e os benditos cogumelos, que agora estão com uma coloração ainda mais escura por causa do shoyu. Sirvo-me de uma porção de cada coisa. Por mais que ainda sinta repulsa pelos cogumelos, acabo pegando um pouco. Afinal, nunca vou saber se eles realmente são ruins se eu não experimentar.

Preparo uma garfada de cogumelos. O cheiro está muito melhor do que eu esperava.

— Depois eu quero que a senhora leia o texto novo da Eloá, okay?

Mastigo, de início com um pouco de receio. A textura deles me lembra muito a de uma borracha maleável. Mas o gosto me surpreende bastante. Tem o típico gosto de cogumelos, é claro, mas o molho que mamãe fez é meio adocicado e picante. E eu estou amando comer essas coisinhas, devo confessar.

— Meu senhor Zeus, que delícia!

Mamãe está sorrindo de orelha a orelha.

— Sabia que você ia gostar. — Ela aproveita para me servir mais das *delicinhas* com cara de minhoca e um copo de refrigerante. — Eles são feitos na manteiga, depois é só colocar shoyu, cebolinha e um pouquinho de açúcar.

Sorrio e continuo comendo com mais vontade do que nunca. Não falamos muito até termos terminado nossa refeição. A ajudo a retirar os pratos da mesa e começo a lavá-los em seguida.

— Então, sobre o texto da sua amiga, me manda um link pelo *whats*, que falo o que achei amanhã, certo?

Apenas confirmo com a cabeça. Mamãe nem se importa em secar a louça, obviamente cansada por mais um dia de trabalho corrido. Quando passamos pela sala, Lily pula do sofá e segue minha mãe até o quarto.

Deito-me, não sei se quero assistir ou ler hoje. Apenas penso durante alguns instantes em tudo que quero fazer amanhã. Tenho certeza de que será um dia melhor do que qualquer outro, só pelo fato de eu vê-la novamente.

E, sem muita cerimônia, acabo apagando.

Estou no meio da aula de educação física — ou pelo menos tentando fingir que faço parte da turma nesta matéria — quando vejo Eloá grudada numa das grades que separa a quadra do pátio. Não sei dizer se ela está lá apenas para passar o tempo de alguma aula vaga, ou se espera por mim. Mas, como sempre, o celular está em sua mão enquanto ela digita alguma coisa importante.

Espero até que o professor encontre alguma coisa importante para fazer. Isso demora um pouco, visto que ele nunca liga muito para o que nós fazemos ou deixamos de fazer. Estou suando horrores no calor infernal de hoje e sinto até um pouco de vergonha por isso. Para a minha sorte, Carlinhos sai de fininho enquanto eu finjo secar o suor abundante da minha testa.

Corro até as grades — eu nunca vou entender o motivo dessa escola ter tantas grades, parece um presídio — e faço um psiu para que Eloá note minha presença.

Ela sorri e guarda o celular.

Finalmente, não é?

— E aí, senhor nerd! não é? Como você está?

— Nossa, estou muito bem! — Quero dar um abraço de urso nela, mas não me arrisco a sair da quadra e dar de cara com o Carlinhos. Ele é bem chato com essas coisas de aula e tal,por mais não pareça. — Li seu texto ontem, experimentei shimeji e me apaixonei por aquelas coisinhas com cara de minhoca!

Juro que se estivéssemos conversando via *WhatsApp*, meu texto seria finalizado com um milhão de emojis de coração pulsante. Mas, como estamos na vida real, apenas os imagino flutuando no ar e envolta dela.

— Ai que tudo! — Eloá solta um gritinho no fim da frase. Somos adolescentes tão bobos e normais, que nem dá para alguém acreditar que vivemos à margem da sociedade colegial. — Me conta mais sobre o texto. E talvez, só talvez, eu o convide pra almoçar lá em casa qualquer dia.

— Usar comida como pretexto para saber minha opinião é um golpe muito baixo, você sabe disso, não é? — Caímos na risada sem nos importarmos com nada ao nosso redor.

Tenho certeza de que as pessoas, por mais que finjam não se importar, sentem uma bela de uma dor de cotovelo sempre que veem Eloá pelos corredores da escola. Mesmo com todo o preconceito, com todas as forças indo contra ela, a garota consegue se manter acima de tudo. É uma verdadeira guerreira, cheia de força e felicidade para esbanjar.

— Bom, se você não quiser...

— Para, é brincadeira, sua sem-graça. — Interrompo-a e olho ao meu redor para saber se Carlinhos ainda não voltou. Não o encontro. — Eu achei seu post muito bom, assim como todos os outros. Ele me fez refletir horrores, de verdade. A gente precisa se unir, principalmente agora, não é?

Ela sorri para mim, mas não diz nada, é como se estivesse esperando por mais alguma coisa. A verdade, é que eu não sei bem onde me encaixo. Não sou um completo entendedor da minha sexualidade e, às vezes, até penso que não gosto de me definir e é isso. Mas, em alguns casos, sinto que preciso ser algo para me encaixar.

— Por mais que eu não saiba meu lugar nesta luta, saiba que estou aqui para o que der e vier! — continuo, mesmo não sabendo se minhas palavras fazem muito sentido para ela.

Eloá me encara com o sorriso ainda estampado em seu rosto. Ela tira o celular do bolso do uniforme cafona da escola (deve comprado por esses dias, pois é a primeira vez que a vejo vestindo) e checa a hora.

— Eu não vou dizer que você precisa se descobrir, nem nada do tipo. Todo mundo tem seu jeito de ser e, vai ver este é você, alguém que não precisa se definir. E isso não é algo ruim, é totalmente normal. Agora eu preciso ir, senão oprofessor de português que eu nunca lembro o nome vai me matar, okay?— Ela me lança um beijinho com a mão direita. — Vou falar com meus pais e te mando uma mensagem!

Eloá some de vista bem na hora que Carlinhos volta e me pega perto das grades. Ele me lança um olhar desconfiado, mas não parece se importar muito. No fim das contas, a aula já está terminando.

Enquanto arrumo minhas coisas, penso em todas as palavras que ela me disse. Talvez eu não precise mesmo me definir, posso ser esta pessoa que sou, sem me importar com rótulos. Mesmo que as pessoas continuem a me rotular, posso pegar essas coisas, amassá-las e tacar no fundo da lata de lixo mais próxima.

Pensando em comentários preconceituosos e em latas de lixo para colocá-los dentro, boa parte do meu dia passa sem que eu nem perceba.

Hoje é um daqueles dias que não vejo nem sinal de mamãe. Plantão corrido, ela diz. Então, acabo enchendo a cara de besteiras e jogando *Devil May Cry* até o momento em que pego no sono.

Para a minha sorte, amanhã é sábado.

Capítulo 13

— Ei, mãe, vem cá! — grito de dentro do meu quarto ao ouvir os passos preguiçosos dela. A coitada deve ter acordado agora a pouco e eu já quero tirar uma com a cara dela.

Verifico o relógio, 11h da manhã. Pelo menos não está tão cedo,apesar de ela ter chegado depois das 5h da manhã. Ouço o som arrastado e preguiçoso de suas pantufas vindo em direção ao meu quarto e já me preparo para a pegadinha. Só espero que ela não surte e não me faça comer o *notebook* inteiro. Afinal de contas, estou mesmo precisando de um fone novo.

— Diga, meu filho — ela para na porta e indico com minha mão para que ela se aproxime. — Já vou te avisando que eu estou cansada,okay?

Sorrio para ela como quem não quer nada e já preparo minha carinha de gato de pidão. Como se prevendo meus planos, Lily solta um miado preguiçoso, roça nas pernas de mamãe e se manda do quarto.

— Então, mãe, bom dia, sua linda. — Enrolação é uma das minhas armas mais poderosas. — Sabe o que é...

— Tem como o senhorzinho parar de enrolar, David?

Estralo os dedos como quem tem todo o tempo do mundo e me espreguiço feito um gato. Sem tirar os olhos da tela do computador, digo:

— Eu preciso muito de um fone de ouvido novo! — Mamãe me encara sem muito interesse e suspira.

— Tá, quanto é?

Abro a página do site da empresa mais famosa no ramo de fones e espero carregar o modelo mais recente dele. Meus olhos chegam a se encherem de água, tamanha minha vontade. Clico na parte da compra e vejo os absurdos mil e novecentos reais que ele custa. Viro a tela do notebook para ela.

Sua reação vai de susto, para não-aceitação e chega na raiva.

— Você tá achando que eu sou rica, David? — Seus gritos fazem meus ouvidos apitarem.

Encolho-me e começo a rir sem parar. Mas estou rindo com respeito, é claro, não estou afim de apanhar com meu próprio *notebook*.

— Me diz do que é feito esse negócio?Ouro? Deus, me dê paciência!

Ela sai com pressa e bufando. E eu pelo visto acabo de estragar a oportunidade de ter um fone novo.

Bom, vou dar um tempinho para ela e explicar que era só uma brincadeira. Acho que mamãe ficou tão nervosa, que nem meus risos deram a dica de que eu estava zoando com a cara dela.

As horas passam tão rapidamente enquanto pesquiso grupos de RPG na internet entre um episódio e outro de Vikings, que nem me dou conta de que ainda não almocei. Ainda bem que meu estômago tem um sistema bem incômodo de me avisar que está vazio.

Quando chego à cozinha, mamãe está toda arrumada com roupas bonitas. Pergunto-me aonde ela vai, mas me deparo com comida na mesa e deixo de me importar com isso. Sento-me, minha boca está salivando por conta da bela macarrona que minha mãe preparou. Devo confessar que nem perco meu tempo com perguntas e já começo a comer.

— Filho, deixei cinquenta reais na gaveta da sala, se vira pra comprar o tal fone. — Ela se apressa para pegar a bolsa enorme que está pendurada em uma das cadeiras e já começa a seguir até a saída de casa. — Vou dar uma saída com a Lucinha e mais tarde volto, beijos e juízo!

Então, quer dizer que hoje ela está sendo a típica mãe de todo mundo com essa coisa de "beijos e juízo"? Eu me pego rindo em vez de me despedir dela, mal consigo comer pelo medo de morrer engastado.

Mamãe dá nos pés e não se importa. Bem, que ela se divirta um pouco.

O dia passa sem que eu perceba direito. Quando me dou conta, já passa das 6h da tarde e tudo o que fiz, foi buscar por grupos de RPG sem sucesso algum.

Todos eram formados por gente bem mais velha que eu, ou por gente chata e cheia de regras sem sentido. Talvez seja melhor eu continuar sem jogar mesmo, ou então voltar aos jogos online que eu ganho mais.

Abro um servidor de *DoTa* apenas como expectador e fico assistindo àpartida sem qualquer preocupação. Lily está roncando bem debaixo da minha mesa e o som me incomoda um pouco, mas não consigo suportar utilizar os fones velhos e cheios de ruídos.

Há um garoto gay bem afeminado na partida fazendo várias piadas engraçadas. Eu me pego rindo vez ou outra com os comentários dele sempre que alguém soa preconceituoso. E isso me faz refletir sobre a minha ideia de criar um tipo de grupo dentro da escola. Estou sentindo uma necessidade imensa de estar rodeado de pessoas que me entendam, de pessoas que se sintam marginalizadas de alguma forma.

Nenhuma pessoa deveria passar por isso. Todo mundo deveria, pelo menos uma vez ao dia, sentir que faz parte do mundo, sentir na pele o amor de poder ser quem quiser, da forma que melhor entender.

Eu sei que nem sempre é fácil — sou a prova viva de que alguém pode se sentir um lixo apenas por não se encaixar —, mas sempre irá existir algo que nos faz ter vontade de seguir em frente de cabeça erguida. Um livro, uma música, uma pessoa, ou simplesmente a vontade de chutar o pau da barraca e deixar de se importar com o que os outros pensam.

Isso faz com que eu me anime ainda mais com a ideia do grupo e tudo o que ele representa. Por mais que eu seja um garoto fechado e praticamente sem amigos lá dentro da escola, quero me aproximar mais de quem precisa de apoio. Sei que há pessoas de todas as formas dentro do colégio e que, ou passam despercebidas ou sofrem de preconceitos tão ruins (ou até piores) do que os que Eloá e eu sofremos. E está mais do que na hora de mostrar para aquela turminha que eles não mandam naquela joça.

Levanto-me para procurar meu celular desesperadamente no meio da bagunça para enviar uma mensagem para a Eloá. Depois de muitas roupas jogadas, livros espalhados e uma Lily extremamente revoltada, consigo encontrar o bendito celular. E, além disso, faço uma anotação mental de que preciso dar uma geral o mais rápido possível no meu cafofo — antes que mamãe surte, é claro.

Eu: Olá, estranha!

Alguns minutos se passam sem uma resposta dela. O que me assusta um pouco. O celular é praticamente uma extensão do corpo de Eloá. Deve estar ocupada. E eu estou hiperventilando por conta de uma ansiedade boba e sem noção, mas tudo bem. Vejo os três pontinhos começarem a piscar na tela e suspiro com alívio.

Eloá: "We're not lovers, we're just strangers
With the same damn hunger
To be touched, estou be loved, estou feel anything at all"[2]

Eu: Oi?

Não que eu não entenda a letra, mas nunca ouvi nenhuma música assim.

Eloá: Sério que você nunca ouviu Halsey? Por favor David, vamos ter que trabalhar nessa sua educação pop, não é?

Envio apenas um emoji revirando os olhos e espero que ela diga mais alguma coisa. E isso não acontece. E eu sinto uma vontade absurda de jogar meu celular na parede pela simples frustração de não gostar de nada que ela gosta.

Talvez eu seja um pouco chato com música, mas fazer o quê. Não consigo suportar as batidas do pop, muito menos as vozes cheias de efeitos. Que me considerem um roqueiro chato e tudo mais.

Espero que ela entenda isso também.

Eu: Bom, eu estou fazendo um panfleto para o nosso grupo. E eu não estou me importando se alguém realmente vai querer participar, só quero que as pessoas saibam que nós existimos e que podem contar com a gente.

Eloá: Hmm... cheio de atitude, assim que eu gosto!

Bom, agora eu estou um pouquinho ocupada, mas me manda a arte assim que terminar e eu peço para o meu pai imprimir uns trinta e a gente cola escola segunda, certo?

Apenas envio um emoji de *joinha*, que sempre irrita a maioria das pessoas, e deixo o celular de lado mais uma vez.Começo a colocar meus dotes artísticos em prática. Não demora muito para que eu desista e vá dormir.

Ah, amanhã tento continuar.

Capítulo 14

Estou assoviando *Bark to The Moon*, do Black Sabbath, enquanto empilho meus livros limpos na pequena estante. Reparo o quão sem graça ela é, sem nenhuma decoração, absolutamente nada, apenas o bege morto e descascado. Anotei em minha mente a meta pessoal de tentar procurar um emprego assim que possível, só para poder ter tudo o que eu quero. Afinal de contas, não posso pedir tudo para a mamãe, entendo que ela tem que sustentar a casa sozinha e ainda garantir nosso lazer de vez em quando.

Termino de organizar os livros por cor — tenho certeza que me irritarei nos próximos dias e voltarei a deixá-los organizados pelo nome dos autores mesmo — e parto para meu guarda-roupa.

Quando abro as portas, várias peças enroladas, dobradas e de todas as formas possíveis, despencam diante de mim. Minha vontade é de me sentar e chorar sem parar. Se minha mãe vir isso, tenho certeza de que ela pega tudo e joga no lixo — junto comigo, é claro. Sento-me na cama, respiro fundo e me preparo para a missão impossível que tenho pela frente.

Levanto-me e tento fazer minhas caixinhas de som funcionarem. Só música pode me salvar da tortura de dobrar roupas e guardá-las da melhor maneira possível. Bato a geringonça sobre a mesa algumas vezes. O som falhado me tira do sério. Dobro um pouco o cabo em uma posição estranha. Parece funcionar. Abro a gaveta, pego uma fita adesiva e colo minha gambiarra.

Feliz pela minha primeira conquista real do dia, coloco toda a minha biblioteca musical para tocar. Sou surpreendido pelas emoções de *Welcome to the Black Parade*, do My Chemical Romance, e começo a cantarolar enquanto arrumo as roupas.

Se eu não fosse um cara forte, cheio de masculinidade... Okay, já posso parar com a piada, não é?

Algumas lágrimas chatas fazem meus olhos arderem. A letra desta música é uma das coisas mais lindas que eu já ouvi na vida. E ela significa muito para mim, sempre penso no papai quando ela toca, nas poucas memórias que compartilhamos e nas experiências inventadas para suprir a falta dele.

Este tipo de emoção não é ruim, que incomoda. É uma sensação de admiração, quase que de louvor. Mesmo que ele tenha feito parte da minha vida por pouco tempo, tenho-o como um dos maiores exemplos. Bem, já chegade choradeira, este guarda-roupas não vai se arrumar sozinho.

Estou prestes a guardar mais uma leva de camisetas, quando sinto meu celular vibrar no meu bolso. Eloá está me ligando, então corro para abaixar a música um pouco antes de atendê-la.

— Ei! — Sua voz está alta e animada. Devo confessar que fez meu ouvido doer um pouco. — O que você está fazendo, fofinho? Estou ouvindo música de roqueiro, ui!

Dou um sorriso contido, daqueles com a boca fechada mesmo, e coloco minha mãe esquerda no bolso da calça jeans surrada que estou vestindo. A animação de Eloá me faz ficar animado também, mas acabo ignorando o comentário dela sobre a música e finjo que nunca aconteceu.

— O que você acha de nós irmos ao cinema, hoje?

Em toda a minha vida fui o garoto que gostava de ir ao cinema sozinho, ou só com a minha mãe. A possibilidade de ir assistir um filme com uma garota linda como Eloá do meu lado faz meu estômago revirar. Solto um suspiro contido e nem percebo que ainda estou com ela na linha. Poxa, quem é que ainda usa celular para fazer ligações mesmo?

— Ei, planeta Terra chamando Dê. Um, dois, chamando! — Ela parece estar ficando nervosa, mas continuo mudo.

Prestes a arrumar alguma desculpa para recusar o convite dela, o pequeno David começa a ganhar vontade própria dentro das minhas calças, uma sensação estranha toma conta do meu corpo. Solto um suspiro. Por mais que Eloá não possa ver a situação ocorrendo entre mim e o senhorzinho lá de baixo, sinto-me envergonhado. Eu definitivamente odeio esta parte de ser homem e essa coisa ridícula da puberdade. Além da vergonha repentina, acho que estou finalmente constatando que gosto de Eloá de uma forma genuína e diferente da forma como gosto da mamãe ou da Lily (que, para a surpresa de zero pessoas no Brasil inteiro, está deitada em cima das minhas roupas limpas).

— Eu... — Minha voz empaca. — Acho que...

— Ai, David! —

A voz dela soa tão próxima, que é como se ela estivesse colocando a mão em meu ombro e meu corpo se arrepia por inteiro. Querodesligar o celular e fingir que isso nunca aconteceu, mas talvez isso passe a impressão errada para ela, então me forço a ficar parado e começo a olhar para os meus pés e a deixo falar.

— Para de frescura, apesar de conhecê-lo pouco, sei muito bem que você provavelmente está trancado no quarto e vai passar o dia inteiro zanzando pela internet. Então, por favor, não me venha com desculpas!

Penso durante alguns segundos — amém, Thor, o pequeno David parece ter se acalmado! — e chego à conclusão de que, talvez, não seja tão ruim assim ir ao cinema sozinho com uma garota — da quem estou gostando demais, vale ressaltar. Abro meu melhor sorriso e praticamente ignoro o fato de que meu quarto está uma completa baderna.

— Mas, olha, não estou a fim de ver nenhum romance meloso, okay?— Preciso deixar claro que não sou nem um pouco fã de romances àla Nicholas Sparks, vai que ela é. Não quero ficar o filme inteiro com cara-de-bunda, não é mesmo? — De resto, topo qualquer coisa, até aquelas comédias sem graça e superestimadas do Adam Sandler!

Eloá ri da minha cara. O som dela rindo me soa tão descontraído e puro que só consigo pensar em rir junto. Mas, ao contrário dela, minhas risadas soam igual as de um papagaio rouco tentando imitar o Faustão.

— Finge que está olhando bem no centro da minha cara, reizinho, e me diga se eu pareço gostar de água com açúcar. — Ela outra de suas risadas e depois bufa. — Vou pesquisar o que está em cartaz. Mas já aviso logo: quanto mais sangrento, melhor!

É, já está passando da hora de eu parar com essas coisas de estereótipos. Isso não deveria fazer parte de mim, estou totalmente fora dele, mas, mesmo assim coloquei Eloá em um, apenas pelo fato dela ser uma garota.

Caminho pelo quarto, desviando-me das roupas jogadas pelo chão, já imaginando um milhão de possibilidades. Meu estômago volta a se revirar. Acho que uma vez li em um livro, um personagem que denominava esta sensação como borboletas no estômago. Não sei, talvez minhas borboletas estejam felizes e, ao mesmo tempo, esfomeadas.

— Tá bom, então, sua linda! — Sento-me de frente para o computador e começo a pesquisar os filmes que estão em cartaz só para ter uma base de em que estou prestes a me meter. — Escolhe o filme aí, manda uma mensagem confirmando o horário e nos vemos por lá. Agora eu realmente preciso voltar a arrumar a zona que eu chamo de quarto, beijos!

— Beijocas, fofinho! — E o tom mudo da ligação interrompida me deixa um pouco mais aliviado.

Volto a música para o volume em que estava e acabo desistindo de olhar os filmes. Preciso arrumar este quarto logo. Penso também no que vou dizer para mamãe. Não vou pedir mais dinheiro para ela, vou ter que deixar os fones novos de lado por agora.

Ainda assim, o que me mais me preocupa são meus sentimentos por Eloá. Ainda não sei o que minha mãe vai achar disso tudo. Ela nem sabe que a garota que estou começando a amar é trans. Talvez ela fique preocupada, talvez fique animada e orgulhosa. Mas acho que ela vai se sentir feliz, por me ver ganhar segurança e tal. Não sei, estou passando a não me importar tanto assim com as reações das pessoas, mesmo que a pessoa em questão seja a minha mãe.

A conversa toda com a mamãe foi de boa. Em relação ao fone e ao dinheiro que ela me deu. Acho que não está na hora de dizer para ela que estou apaixonado por uma garota e que esta menina maravilhosa é transexual.

Em relação à parte de eu estar apaixonado, falho miseravelmente. Deve estar estampado na minha cara.

Agora, depois de eu já ter me arrumado todo para encontrar a Eloá, mamãe parece querer discutir a relação entre nós dois e o fato de eu estar começando a gostar de alguém parece ser o foco da conversa.

— Você tem certeza do que está fazendo, David? — Mamãe está preocupada, sei disso por causa de sua voz tremida seus movimentos inquietos. — Eu sei que já conversamos sobre isso, mas você está claramente apaixonado, meu filho.

Solto o ar de dentro dos meus pulmões de uma forma meio entediada e me arrependo quase instantaneamente. Termino de calçar os tênis, minha mãe continua parada no batente da porta do meu quarto — que para a minha total surpresa, consegui terminar de arrumar antes do horário marcado com Eloá.

— Se eu tivesse certeza de alguma coisa que eu faço, mãe, eu não seria mais um adolescente. — Levanto-me, já pronto com a minha camiseta surrada da Mulher Maravilha, que só estou usando pelo fato de que irei ao cinema com uma garota empoderada e forte. — Como estou?

Minha mãe parece pensar durante alguns instantes. Seus olhos percorrem por todo o meu corpo, caçando algum erro no meu visual nada digno das revistas de moda adolescente. Ela revira os olhos, algo definitivamente está incomodando-a e isso me assusta.

— Vem aqui, David! — Ela acena com as mãos, meio que desesperada. — Não sei em que mundo você vive, mas atualmente, não creio que seja aceitável, sequer necessário, que este cabelo esteja tão arrumado!

E lá se vão os incontáveis minutos que perdi de frente para o espelho penteando meus cachos para que eles ficassem quietos em cima da minha cabeça. Mamãe começa a bagunçar todo o meu cabelo ruivo com as mãos, se melecando com o excesso de gel que utilizei.

— Espera um pouquinho, vou pegar uma toalha para tirar toda essa gosma. — Respiro fundo e me sento enquanto ela se apressa até o banheiro.

Quando ela volta, estou quase sem paciência, mas, mesmo assim, mamãe dá seu jeito em meu cabelo. Cerca de dois minutos depois, estou com os tradicionais e desarrumados cachos do David.

— Agora você pode ir, querido! — Ela me dá um beijinho na testa e corre para abrir a porta para mim. — E não se esqueça das coisas que eu disse, está certo? Amo você, filhote!

Capítulo 15

Pela primeira vez em toda a minha vida, chego a um compromisso — se é que eu posso definir essa nossa saidinha como um — em cima da hora. Tudo parecia conspirar contra mim, sério. Primeiro perdi o ônibus, depois o bendito vai e quebra no meio do caminho. Por pouco, não desisto de tudo.

Agora que tudo passou, estou sentado em um banquinho em frente à entrada do Shopping SP Market esperando por ela. Verifico meu relógio, ainda faltam cinco minutos — e sim, eu surto quando não consigo chegar a algum lugar com pelo menos vinte minutos de antecedência — então tento me manter tranquilo.

— Olá, estranho! — Eloá me pega de surpresa e sem que eu me recupere do quase susto, ela me dá um beijinho quente na bochecha direita e se senta ao meu lado. — Eu quis fazer surpresa pra você e disse que nós iríamos ver Animais Fantásticos dois, mas Deus me *defenderay* de Johnny Depp, não é? Então, roqueirinho fofo, pronto para ver Bohemian Rhapsody?

Meus olhos se enchem de lágrimas, tamanha a felicidade que estou sentindo neste momento. Não consigo me conter e a abraço com força.

— Você é a melhor pessoa desse mundo! — Finalmente crio coragem de dar um beijo no rosto dela e sinto a pele do meu rosto começar a queimar. Pequenas desvantagens de ser ruivo, não é? — Eu nunca ia pensar que você fosse querer ver o filme de um dos caras mais fodas do rock!

Eloá me lança o maior e mais bonito sorriso do mundo e se levanta. Em seguida, a garota — que está usando um vestidinho cheio de flores, com o cabelo esvoaçando e com um par de saltos cor-de-rosa — me estende a mão para que enfim sigamos para o nosso primeiro encontro.

Os barulhos que minha barriga está fazendo estão me deixando desconfortável, estou morrendo de fome, mas aguento firme. Somente a pipoca cheia de gordura, que eles insistem em chamar de manteiga, não é capaz de acalmar meu estômago. Mas é o que tem para o momento.

Eu jamais pensei que Rami Malek seria tão bom no papel do deus Freddie Mercury. A cada cena, a cada música, eu me emociono mais. Fico chocado com tudo o que ele passou, desde a fama, até a doença. Choco-me ainda mais quando começo a ouvir as vaiais da galera quando ele beija o namorado.

— Freddie sempre foi gay, *seus porras*! — Alguém grita na plateia, mas as vaias não param.

Reviro os olhos e tento me focar no filme diante de mim.

A mão suave de Eloá toca a minha, começo a me sentir confortável novamente. Ela, assim como eu, não desgruda os olhos da tela por nem um segundo sequer. Isso me enche de orgulho, pois acabei acreditando que ela era só mais uma daquelas garotas fãs de divas pop.

— Se Freddie não é a maior diva pop que já existiu, não sei quem é! — Ela solta, meio que lendo meus pensamentos e eu acabo rindo um pouco.

Eu não sei explicar direito, talvez já tenha pensado e falado comigo mesmo o bastante sobre isso, mas tudo nela me encanta. O jeito que ela sorri, a forma desalinhada dos dentes brancos, o contraste entre a pele negra e os cabelos castanhos e sua força. Tudo faz com que eu me derreta por inteiro. E isso me assusta, nunca havia me sentido deste jeito com ninguém, nem comigo mesmo. Talvez eu esteja entendendo tudo errado, essa porcaria chamada puberdade tende a confundir os sentimentos dentro do peito de qualquer um, mas espero que não. Tento imaginar como Eloá se sente ao meu lado, mas é em vão.

Às vezes, gostaria de poder saber tudo o que se passa na cabeça das pessoas à minha volta, principalmente na de Eloá, minha vida seria bem mais fácil.

Os créditos estão subindo na tela, boa parte das pessoas sai resmungando coisas preconceituosas sobre o filme. Reviro os olhos enquanto faço um levantamento mental de todas as emoções que senti durante o filme.Até queria ficar e esperar o resto da galera chata e conservadora sair da sala, mas meu estômago está me repreendendo fortemente, tenho a impressão de que ele pode saltar pela minha boca a qualquer momento. Levanto-me apressadamente e encaro Eloá, que está sorrindo de orelha a orelha.

— Que filmão, senhor! — A animação dela é contagiante. — Mas que fome é essa que eu estou sentindo? Parece que colocaram uma manada de mamutes dentro do meu estômago!

Não consigo me conter e lanço a ela meu melhor sorriso, talvez o mais radiante de toda a minha vida. Estamos em sintonia, posso sentir isso assim como sinto meu corpo se arrepiar quando penso no sanduíche que vou comer. Estendo minha mão e Eloá a agarra, sinto a suavidade e o calor dela sendo passado para mim.

— Olha, moça,parece que nós dois temos o mesmo objetivo agora, não é mesmo? — Começo a andar e ela me acompanha.

Estamos de mãos dadas e isso está me deixando enlouquecido. É uma sensação estranha, parece que raios de eletricidade passam dos dedos de Eloá para os meus, provocando pequenos arrepios em todas as partes do meu corpo — inclusive no pequeno David lá embaixo, devo lembrar. Pequenas gotas de suor começam a se formar em minha testa, aperto o passo sem saber lidar com este sentimento tão novo e tão confuso. É como se, de repente, eu e ela fossemos um só, energias em completa harmonia.

Quero sair correndo, meu rosto está pegando fogo, mas me forço a manter o ritmo. Estamos quase chegando à lanchonete e essa coisa de mãos dadas vai acabar. Respiro fundo e olho para todos os detalhes possíveis da rua, menos para ela. Acho que, se olhar para Eloá agora, irei encontrar uma garota que não quer estar ao meu lado, tenho medo de ser recusado.

— Ei! — Ela quebra o silêncio e para subitamente. — Você está muito tenso, David. Se acalme, garoto!

Respiro fundo e fixo meus olhos no chão e nos All Stars surrados que estou usando. Penso pelo que parece ser uma eternidade nas melhores palavras para dizer a ela que estou com medo, que tudo isso é novo demais para a minha cabeça. Não sei o que falar, de verdade, talvez eu esteja confundindo as coisas e nós dois só sejamos bons amigos.

Como se ela fosse capaz de ler minha mente e sentir todo o medo que estou sentindo, Eloá se coloca diante de mim. Sinto o perfume adocicado e noto o balançar dos cachos volumosos dela ao vento. Suas mãos se aproximam do meu rosto e me forçam a encarar os olhos castanhos e misteriosos dela. Eles brilham tanto, que chegam a ganhar um tom dourado por conta das luzes. O sorriso dela me ganha e sinto vontade de fazer algo que nunca fiz em toda a minha vida. Quero agarrar Eloá com toda a minha força e beijá-la sem temer nada, mas me controlo.

— David, eu já disse que você não precisa ter medo de nada quando estiver ao meu lado. — Ela se aproxima, consigo sentir o calor da respiração calma dela e o cheiro de creme dental que escapa de seus lábios. — Para mim, todo dia é uma luta diferente, eu preciso constantemente me firmar, firmar a minha identidade como garota trans e proteger o pouco que conquistei. E ter você ao meu lado é uma baita conquista, sabia? Eu sei que as coisas deveriam se desenrolar mais devagar, mas desde que eu o vi aquele dia, algo me fisgou, David.

— Eu... — Tento falar tudo que tenho vontade, mas ela me deixou sem chão.

Eu não esperava tanta delicadeza de uma garota tão forte quanto ela. Quero dizer o quanto a amo, mas só consigo sorrir. Tenho certeza de que estou vermelho feito o cabelo do Pennywise, mas o que eu posso fazer?

Eloá aperta a minha mão com força, sem dizer uma palavra sequer. Meu estômago se revira novamente, mas desta vez não por fome, parece que há borboletas voando lá dentro. Estou fervendo e não sei explicar direito o que estou sentindo.

— Eloá.

Olho para o céu estrelado enquanto passamos pelo estacionamento e ouço os sons do trem que passa ao lado do shopping. O lugar poderia ser bem melhor para esta ocasião, mas o destino é assim, ele brinca com a nossa vida e faz com que as coisas aconteçam nos momentos e lugares mais inusitados.

— Eu te amo desde aquele dia, mas eu estava com medo. Uma garota linda como você, forte e batalhadora. Achei que talvez não fosse sentir o mesmo que eu, sou gordo, nerd e bem tímido.

— Para de falar besteira, garoto!

Ela me dá um peteleco na cabeça e ri, mas me deixa continuar falando.

Penso um pouco para lembrar em que parte parei e dou uma boa respirada para acalmar minha voz.

— Então, eu achei que você nunca ia se interessar por mim. Mas é isso, eu amo você ea admiro muito. Posso não entender completamente a sua luta, mas sei o que ela significa para você e eu quero estar ao seu lado daqui para a frente, para o que der e vier.

Ela nem mesmo espera eu terminar de falar e cola os lábios dela aos meus. Não sei o que estou sentindo, parece uma coisa estranha, mas, aos poucos, deixo meu corpo amolecer e tomar conta da situação.

Talvez eu esteja conhecendo as estrelas agora, ou entendendo finalmente o real significado da tão almejada magia. E acho que o amor é isso: é se sentir livre, é se sentir mágico. É como, metaforicamente falando, tocar as estrelas e sentir toda a energia contida nelas.

Capítulo 16

Estou rodeando minha mãe desde a hora que acordei — o que faz, aproximadamente, vinte minutos — e ainda não tive coragem de contar para ela tudo o que aconteceu no cinema. Mamãe está fazendo tudo com pressa. Sou da opinião de que este serviço ainda vai acabar com ela, mas ainda não há nada que eu possa fazer.

— Eu estou dando espaço para você desde a hora que você acordou, mocinho. — Ela se senta para tomar café e eu faço o mesmo. — Será que dá para você parar de me seguir feito uma barata tonta e desembuchar logo?

Tomo um copo cheio de suco de laranja em praticamente um gole. Minha garganta, que estava seca, agora parece hidratada e confortável. Pigarreio para limpar a voz — que vale lembrar, sempre dá aquelas esganiçadas típicas da puberdade — e penso no que dizer para mamãe.

— Eu... Errr...

Ela respira fundo e revira os olhos para mim. Neste meio tempo, Lily pula na cadeira ao meu lado e começa a se esfregar em mim.

— Eu beijei a Eloá ontem, pronto, falei!

Mamãe se senta, coloca a mão esquerda sobre a testa — e acaba bagunçando os cabelos cuidadosamente alinhados — e respira fundo. Ela se serve de mais uma caneca de café e dá umas mordiscadas no pãozinho com manteiga enquanto pensa na lição de moral que vai querer me dar agora.

— Olha, filho, não sei muito bem o que dizer sobre isso. — Com a mesma velocidade com que se sentou, mamãe se levanta e corre para me abraçar com força. — Você está crescendo e este momento é todo seu. O senhorzinho precisa viver todas estas experiências para se conhecer. Foi bom? Você gostou? O fez feliz?

— Sério, mãe, não sei nem como definir! — Sorrio sem nem perceber e aperto os braços dela. — Foi um negócio surreal, saca? Eu fiquei muito feliz e, tipo, ao mesmo tempo, sem saber como reagir!

Ela me enche de beijos e me faz um cafuné delicioso. Sinto a textura do batom que acaba de ser colado à minha bochecha. Solto uma risadinha boba e me levanto para beijar a bochecha dela também.

— Então, Dê, estou feliz pra caramba por vocês! — Mamãe volta a se sentar para terminar o café-da-manhã. — Se é isso que seu coração quer, quem sou eu pra dizer qualquer coisa, não é, filhão?

Terminamos de comer e saímos os dois extremamente apressados. Para a minha sorte, o ônibus não demorou muito para passar e eu consegui chegar ao colégio faltando dois minutos para fecharem o portão.

O dia foi bem tranquilo. Nada de muito especial nas aulas de Artes e Biologia. Contra todas as expectativas que formo antes de pisar nos corredores daqui, não vi Maicon até agora — e que as coisas continuem assim! Mas, para a minha tristeza quase mortal, também não vi Eloá ainda. Meu coração bate com pouca vontade e eu apenas sobrevivo dentro da escola.

Peço para a Carmen, professora de Química, deixar que eu vá beber água, minha garganta está mais seca do que o normal. Depois de alguns segundos, consigo a autorização e corro em direção ao bebedouro mais próximo.

Como de costume, o bendito está falhando. Preciso dar alguns chutes até que a água começa a sair. Aproveito a deixa de estar no corredor e saco o celular do bolso.

Não sei em que mundo eu estava, mas tenho dez mensagens não lidas de Eloá. A garota deve estar prestes a surtar e eu aqui, pensando no que aconteceu para não termos nos encontrado ainda. Todas as mensagens juntas forma um milhão de "ois" secos e doidos por atenção.

Eu: Ai, me desculpa, por favor!!!!

Ela começa a digitar e meu coração acelera, respiro fundo e bebo mais alguns goles de água para ter alguma desculpa para estar no corredor.

Eloá: Garoto, pensei que você nem tinha vindo pra escola! O que aconteceu???

Junto da mensagem ela manda um gif de um cachorrinho aliviado e jogado no chão. Pena que eu sou dos gatos, não é?

Eu: Mulher, eu esqueci completamente que tinha celular, acredita? Só vi agora porque saí da aula pra beber água e fiquei pensando qual era o motivo de a gente ainda não ter se visto e isso é um textão sem fim que você deve estar odiando ler!

Eloá: *DLFKSDOKOSDKFODKFSD* bobo! Mas diz aí, a gente se vê no intervalo?

Envio o emoji de like que irrita qualquer um e ela não me responde mais. Deve estar me xingando horrores mentalmente. Saio de perto do bebedouro com um sorriso bobo, meu corpo faz o gingado que uma pessoa só é capaz de fazer quando acerta os seis números da Mega Sena.

Carmen me olha desconfiada, depois verifica o relógio enorme no pulso e solta uma bufada típica de gente irritada. Pelo menos ela não fala nada e eu sigo minha vidinha boa de aluno exemplar respondendo às perguntas que ela faz da forma mais aleatória possível. E por isso o tempo acaba passando bem mais rápido do que eu esperava.

O sinal toca e eu saio cantarolando *Love of my Life*, do Queen, para quem quiser ouvir. Talvez esteja mesmo apaixonadinho, uma verdadeira bolinha açucarada de amor.

Encontro Eloá rapidamente no pátio do intervalo e me deparo com uma garota um pouco estranha ao lado dela. Há também um envelope em cima da mesinha. Apresso o passo. Ela está sorrindo de orelha a orelha, mas a outra garota parece um pouco entediada com tudo.

— Oi, bebê! — Ela se levanta, me abraça e me dá um beijinho no rosto. Por pouco não pensei que daríamos um beijo igual ao de ontem. Aqui. Em público, na mesma escola que já nos julgou tanto. — Como vocêestá?

Nos sentamos, tiro a mochila das costas e me espreguiço com mais vontade do que o necessário.

— Ah, eu estou bem e você? — Viro-me para a garota, que parece ocupada demais com um pacote de salgadinhos. — Oi, estranha.

A garota me lança um aceno contido e desinteressado. Credo, não sabe nem socializar — diz aquele que estuda nesse colégio há dois anos e mal sabe o nome dos professores.

— Ananda, esse aqui é o Dê, lembra que falei dele pra você semana passada? — Eloá é uma montanha de animação e sociabilidade.

— Ah, é! — Ananda solta seu primeiro sorriso do dia, mas nem mesmo estende a mão para me cumprimentar. — Desculpa,aê, estou meio irritada hoje. Mas me chama de Nands, por favor. Agora o pronome, pode ser o que você quiser.

— Ai, que mau humor! — Eloá solta um gritinho e se vira para mim, deixando a garota de lado. Não entendi praticamente nada do que ela me disse, mas vou deixar isso para uma outra hora. — Então, Dê, abre esse envelope aqui, fazendo-me um favorzinho!

Ela empurra o pacote em minha direção.Ainda nem tive tempo de pegar meu lanche e já tenho que abrir envelopes, tenha santa paciência! Reviro os olhos e respiro fundo, um pouco estressado pela fome. Pego o conteúdo de dentro do envelope e abro minha boca completamente por surpresa.

— Não acredito! — digo um pouco alto demais.

— Olha o negócio direito, antes de ficar animadinho!

Eloá está ansiosa, seus dedos tamborilam em cima da mesa. Até mesmo Ananda — Nands, me corrijo — parece interessada.

Termino de tirar os retângulos de papel de dentro do envelope e fico sem reação.

Primeiro, não tenho reação por ter me esquecido completamente de fazer um cartaz decente.

Segundo, Eloá fez um trabalho ainda melhor do que eu teria feito.

Não sei nem descrever direito a belezura que ela fez. Em uma parede pintada com as cores do arco-íris — consigo perceber até algumas rachaduras —, ela colocou em uma letra toda estilizada o título do clube, que vai se chamar Clube dos Desajustados, as informações de contato dela e as minhas. Além disso, há a frase "Juntos resistimos, juntos nossa força é imbatível".

Não gosto de chorar em público. Longe de mim passar essa vergonha. Mas as lágrimas começam a cair sem que eu consiga controlá-las. Eloá se levanta e me abraça com força, seus cabelos escondem uma parte do meu rosto e eu não consigo dizer uma palavra sequer.

— Acho bom você parar de chorar logo, pra gente ir colar essas lindezas por aí! — Ela me faz um cafune divino e se vira para Nands. — Você vai também, né, *linde*?

Nands apenas balança a cabeça para confirmar.

— Sei lá, eles ficaram tão perfeitos, que eu não consegui conter minhas lágrimas!

Em meio às lágrimas, largo os banners e tento devorar meu sanduíche da forma mais rápida que consigo. Acabo constatando que me tornei a pessoa que come enquanto chora e que isso deixa a comida ainda mais saborosa.

Quase me engasgo por conta da velocidade em que comi. Bebo o restinho do meu suco e me levanto com toda a determinação que alguém pode ter. Olho ao meu redor apenas para ter certeza de que Maicon não está por perto e estendo uma das mãos para Eloá e a outra para Nands.

Diferente do que eu esperava, Nands agarra minha mão com força e arregala os olhos castanhos. O sorriso dela ainda parece meio morto, mas talvez isso mude com o tempo. No fim das contas, estamos nos conhecendo agora e eu não sei nem um por cento da história dela. Não entendi muito bem o que ela quis dizer quando se apresentou. Tenho certeza de que tudo ficará claro assim que a gente começar as reuniões do grupinho.

— Preparados para atacar, bebês? — A voz de Eloá está animada, cheia de poder e força de vontade. — *Bora* começar a acabar com o ódio que existe nessa escola, meus cavalheiros!

Começamos colando na área do pátio sem chamar muita atenção. Depois, seguimos para os corredores. Estou no terceiro mural com elas e já cansado. Sei que vai valer a pena, sei que podemos começar a fazer a diferença aqui, mas precisa mesmo ser tão cansativo?

Depois de quase quinze minutos e três lances de escadas, finalmente terminamos. Vejo o grupo de patricinhas me olhando torto e reviro os olhos para elas e continuo dando atenção para as garotas ao meu lado.

— Olha, não sei se vai dar certo, mas estou vibrando de animação! — Eloá praticamente grita para a escola inteira ouvir. Nands coloca o dedo indicador no ouvido esquerdo para fingir incomodo, mas logo sorri. — Pode ser que a galera toda nos odeie ainda mais, mas vocês vão ver, a gente vai garantir nosso lugar nessa joça!

O sinal indicando o fim do intervalo ataca meus ouvidos e me assusto, dando um pulo. Abraço Eloá e aceno para Nands enquanto penso em como vai ser o resto do meu dia.

— Gente, vou indo, não quero perder a aula de português de hoje. — Aceno já indo em direção à minha sala e elas retribuem. — Me mandem mensagem e já criem um grupinho pra gente,okay?

Pouco minutos depois, já dentro da sala barulhenta e cheia de adolescentes imbecis, recebo uma notificação dizendo que fui adicionado ao grupo. Ele leva o mesmo nome que nosso grupo e eu acho isso lindo. Por enquanto, só há eu, Eloá e Nands, mas é um começo.

Entre uma lição importante e outra, faço alguns desenhos de Eloá que nunca mostrarei para ninguém. Isso me acalma e já me dá uma ideia do que fazer com o resto do meu dia.

As horas finais do dia de aula passam voando. Além disso, acabei de receber a primeira mensagem no meu e-mail de alguém querendo participar do Clube dos Desajustados. Um sorriso de orelha a orelha se forma em meu rosto. Estou começando a ter certeza de que estamos fazendo a coisa certa, doa a quem doer.

Que se danem os preconceituosos dessa escola, eles vão ter que nos aguentar.

Capítulo 17

Apesar de estar animado para conhecer o Juracy (garoto que me enviou um e-mail ontem), não posso negar que minha cabeça está prestes a explodir com aula de matemática.

Ontem mal tive tempo de conversar com mamãe depois que ela chegou do trabalho. Pela primeira vez na minha vida todinha, comecei a escrever alguma coisa. Pouca coisa, para falar a verdade, praticamente coloquei as ideias principais no papel. A história acompanhará uma princesa trans, lutando para se manter livre das garras do pai tirano, enquanto se apaixona por uma garota *diferentona* da classe operária. Eu até fiz uma arte para as duas personagens, mas não ficaram muito boas. Talvez, quando eu tiver algo mais concreto, mostre para Eloá.

Agora a minha preocupação é com a prova que Alana acaba de marcar para a próxima semana. Apesar de inteligente, não me dou muito bem com provas marcadas em cima da hora. Nem sei direito o que estudar e minha cabeça assassina não me deixa pensar direito. Reviro os olhos e anoto a data em vermelho no meu caderno. Para expressar minha raiva, acabo desenhando uma caveira em chamas com um vestido esfarrapado do lado da anotação.

Quem sabe essa caveira não acaba virando uma vilã da história, não é?

O sinal agudo começa a tocar e faz minha cabeça latejar ainda mais. Quero sair correndo deste lugar e chegar logo à porta da biblioteca. Juracy já deve estar me esperando e eu aqui, atrasando mais do que o normal. Apresso-me para guardar meus materiais e corro para a porta, sem me importar com nada ao meu redor. Então, esbarro em uma parede feita de músculos. Nem sei direito o que está acontecendo, mas começo a tremer e a pedir desculpas instantaneamente.

Quando me dou conto do mundo ao meu redor, noto que Maicon está diante de mim, uma expressão carrancuda e nada feliz em seu rosto faz com que eu me arrepie.

Começo a suar feito um porco sendo assado. Tento me afastar, mas ele segura meu braço, apertando-o com força. Quero dar um chute bem forte no saco dele, sair correndo e gritando que estão me atacando, mas não consigo. Parece que meu corpo está congelado e não tenho como me mover.

Seu dedo indicador me manda ficar em silêncio e então ele começa a me puxar pelo corredor como se nada estivesse acontecendo. O que mais me choca, é que ninguém parece se importar com o que está acontecendo. Tudo de ruim que acontece nessa escola é tão normal aos olhos deles, que isso é fichinha.

Entramos no banheiro, que está estranhamente vazio para um intervalo, e ele me empurra para dentro de uma das cabines e entra em seguida, nos trancando. Tenho a impressão de que posso mijar nas calças a qualquer momento. Minha respiração está ficando cada vez mais pesada e minhas pernas bambeiam.

— Para! — É o que consigo dizer, mas ele tapa minha boca com a mão gigante dele.

Meu rosto está pegando fogo, minha respiração está pesada e desesperada. Talvez eu esteja à beira de um infarto, o que não é muito difícil de acontecer com alguém que tenha os meus noventa quilos. Maicon me empurra para baixo, obrigando que eu me sente no vazo sanitário sujo e fedido. Ao longe escuto a voz de um dos garotos da turma dele dizendo para alguém não entrar no banheiro agora. Estou com medo e não sei o que fazer.

Quero gritar e me debater, mas não consigo fazer com que meu corpo me obedeça. Acho que estou tomado pelo choque e pelo medo do que pode acontecer, não sei, meus pensamentos estão turvos e turbulentos. Consigo me encolher e abaixar o rosto para não ter de encarar o monstro diante de mim, mas ele é mais forte do que eu e me força a olhá-lo. E então, além de medo, raiva e terror, sinto nojo dele.

Como uma pessoa pode ser assim? Tão odioso, tão preocupado em perturbar a vida de pessoas que mal cruzam seu caminho! Quero conseguir dizer todas estas palavras para ele, mas sua voz rouca me interrompe.

— Então quer dizer que você, além de ser essa roda de caminhão, ainda é um baita de um veadinho? — Ele tira uma mexa do cabelo preto de frente dos olhos e um sorriso maléfico começa a se formar em seu rosto. — Não acredito que você pensa que eu não o vi com aquela aberração e nem que acredita que eu esqueci que você me atrapalhou, seu bosta!

E ele me dá um peteleco, fazendo meu ouvido chiar. Esforço-me para revidar, tento dar um chute nele, alguma coisa, mas ele me impede com sua força.

Eu juro que estou tentando me conter, parecer forte, mas as lágrimas e o medo são mais fortes do que eu. Começo a chorar sem fazer som algum, estou tremendo e não sei o que fazer para sair dessa. Os olhos de Maicon perfuram os meus, tenho a impressão de que ele pode estar enxergando minha alma neste exato momento. Seu sorriso assusta todo o meu ser.

— Poxa, bolota! — Sua risada aguda me deixa ainda mais inquieto e, por uma ação involuntária, acabo me levanto, mas ele me empurra de volta para o vazo. — Chorando desse jeito você me brocha, moleque!

Apesar de estar suando exageradamente, sinto meu corpo inteiro congelar. Maicon tem uma expressão no rosto que parece diabólica e, ao mesmo tempo, pensativa. Ele definitivamente está ponderando o que pretende fazer comigo.

Por alguns instantes meu medo dá espaço às perguntas e eu tento imaginar o que em mim o deixa tão furioso, tão disposto a ferrar com a minha mente. Mas não consigo encontrar uma razão convincente o bastante, talvez ele só seja doente ao ponto de se satisfazer com o sofrimento das pessoas abaixo do status social que ele tem neste inferno de escola.

— Vá se foder, escroto! — Consigo gritar e ele me dá um tapa no rosto, o que faz as lágrimas correrem com mais força. Elas queimam meus olhos, mas, ainda assim, consigo ver pequenas estrelas se formarem diante de mim.

Tudo o que consigo é deixar Maicon ainda mais enfurecido. Ele estufa o peito grande demais para a idade que tem e se abaixa, até que seu rosto enlouquecido e vermelho de raiva esteja no mesmo nível que o meu, seus olhos verdes têm as pupilas dilatadas e perfuram os meus. Posso sentir cheiro de álcool e um outro cheiro estranho na respiração quente e acelerada dele. Encolho-me mais uma vez. O nojo dentro de mim aumenta e ganha status de ranço. Tudo nele me remete ao lixo, a coisas podres e eu só quero tentar me afastar de tudo isso, quero vomitar tudo o que comi desde a hora que acordei.

— Eu acho que você já está assustado o bastante por hoje, não é? — Ele se afasta aos poucos e eu fecho meus olhos. A porta da cabine é aberta, mas Maicon para e me encara mais uma vez antes de finalmente me dar paz. — Eu espero, bolota, do fundo do meu coração, que você tenha entendido o recado, okay?

E então ele sai, deixando-me sozinho, à beira de um colapso. Tento me acalmar, corro até a pia de frente para a cabineem que estava e lavo meu rosto. Acabo vomitando durante o processo, o gosto azedo e amargo de bile não chega nem perto do que eu senti naqueles momentos.

Estou vermelho feito um pimentão. Respiro fundo, minhas mãos tremem com o medo que ainda estou sentindo. Preciso sair deste banheiro maldito antes que eu enlouqueça ou desmaie.

E é o que eu faço.

Saio correndo pelo corredor lotado esbarrando nas pessoas em meu caminho. Uma destas pessoas foi Ícaro, um garoto tão excluído quanto eu, ele me encara intimidado enquanto recolhe os livros do chão. Agacho-me para ajudá-lo e lanço um sorriso tímido para o garoto. Os óculos dele estão borrados, talvez ele nem tenha visto meu sorriso.

Sei que não estou na posição de ajudar ninguém a superar algum perrengue do colegial, ainda mais depois das ameaças do Maicon, mas seguro a mão dele e a aperto com força. Ela está gelada, a pele negra sem brilho algum. E isso me entristece e me revolta.

— Ícaro, eu sei que a gente não se fala muito, cara. — Sorrio novamente, na esperança de que ele entenda minhas palavras. — Mas saiba que você não está sozinho na guerra que se desenrola nestes corredores. Nós precisamos ser fortes, precisamos rebater cada ataque deles, por mais que isso aconteça com a nossa união, está certo?

Pego um dos banners que sobrou de ontem e entrego para ele.

O garoto acanhado apenas assente, se vira e sai correndo em meio à multidão. Sei que minhas palavras foram, de certa forma, hipócritas. Eu acabei de sofrer um baitaataque do machão do colégio e o que eu fiz? Me encolhi sentado na privada, tremi feito um celular vibrando e não consegui dizer uma palavra sequer. Mas talvez — só talvez — minhas palavras podem ter dado alguma luz aÍcaro, podem ter tocado algum pedaço do coração dele. E isso me deixa orgulhoso, é um dos primeiros passos para que as pessoas como eu comecem a se levantar contra aqueles que nos oprimem diariamente.

Volto a caminhar, agora mais calmo, quando sinto o toque suave em meu ombro. Viro-me para encarar a pessoa e encontro Eloá com os olhos brilhando. Não me contenho e a aperto em um abraço quente e desastrado. Quase caímos no chão. Estamos rindo, um olhando para o outro de uma forma totalmente nova e encantadora. Chega a ser surreal.

— Parece que você está aprendendo, nerdzinho! — Ela faz um cafuné carinhoso nos meus cachos e apoia seu braço esquerdo em meu ombro. — E assim que a gente começa, sabia? Ajudar os outros, fazer o bem, é quase a mesma coisa que ajudarmos a nós mesmos.

Ananda surge ao nosso lado e quase me esqueço do encontro marcado com Juracy. Peço para elas me esperarem enquanto vou até a biblioteca e corro para lá.

Avisto, de longe, um garoto com cabelos longos de um castanho tão brilhoso, que o reflexo bate em meus óculos e ofuscam minha visão — sou bem exagerado mesmo, ainda mais depois de uma experiência de quase morte. Aproximo-me dele como quem não quer nada e quebro o silêncio.

— Juracy?

O garoto se vira para me encarar. Ele tem os olhos mais bonitos que já vi, um castanho de tom dourado sem igual. O sorriso dele, por mais contido que esteja, me parece puro e verdadeiro.

— Olá, David.

Ele se apressa para me abraçar. Acho isso um pouco estranho, a gente nunca nem se viu, quem dirá se conhece. O abraço dele pode ser considerado um dos mais confortáveis que já recebi na vida, só perdendo para o de Eloá.

— Pensei que você não viria, querido.

Sorrio para ele e tento me afastar um pouco. Força do hábito.

— Claro que não! É que eu tive uns probleminhas no percurso e acabei me atrasando. — Chamo por ele para que me siga e continuo: — Você não sabe como seu e-mail me deixou feliz, de verdade.

— *Migo*, você acha mesmo que eu ia perder a oportunidade de sambar na cara do machismo dessa escola? — Ele estrala os dedos em frente ao próprio rosto e eu já amo tanto estar conhecendo a pessoa maravilhosa que é Juracy, que o deixo falar pelos cotovelos. — Eu não sei você, mas nunca que uma rainha igual a mim deixaria essa ralé roubar o meu brilho. Agora, querido, paraonde estamos indo?

— Oras, vamos encontrar o resto dos desajustados! — Nós nos apressamos até chegarmos ao pátio. Eloá me encara com animação e vejo que, além de Nands, Ícaro está sentado junto delas.

Se este não é um ótimo começo para um projeto de resistência, não sei o que é. Além de tudo, é algo que me enche de esperanças e aquece meu coração, especialmente depois do dia de cão que acabei de ter.

Capítulo 18

Juracy, seja bem-vindo ao Clube dos Desajustados! — O apresento para o nosso grupinho.

Eloá se aproveita de que ele é um cara de abraços e manifestações públicas de afeto e se joga para dar as boas-vindas.

Sento-me ao lado de Nands, que está quieta e meio emburrada como sempre. Nem mesmo penso em puxar algum assunto com ela, vai que levo algumas porradas a mais do que o necessário, não é?

Juracy e Ícaro já parecem se conhecer, pois estão batendo um belo papo. Eloá está lutando contra as vontades próprias do celular e eu nem sei o que dizer para quebrar o silêncio em torno de nós. Quero contar tudo o que aconteceu antes de me sentar com eles, desabafar sobre o que Maicon fez comigo lá no banheiro. Mas sinto medo de que algum dos *Minions* dele estejam por perto, escutem e corram para contar para o líder que abri o bico. Não quero ter que passar por aquilo de novo, mas também não quero que ninguém passe.

E para isso, preciso contar com o apoio dos meus amigos.

— Então, Juracy...

— Me chama de Ju, por favorzinho. — Ele me interrompe com um sorriso na cara. — Essa coisa de nome completo é muito formal pra minha cabecinha cheia de cabelos.

— Okay, então. — Sorrio de volta e tento continuar. — Bom, espero que você sinta bem junto com a gente,okay?Ainda é uma coisa pequena, mas é para ajudar, é para que a gente resista dentro deste inferno deste colégio.

Eloá estica sua mão até que consegue tocar a minha. Sinto arrepios percorrerem meu corpo inteiro. Tenho vontade de parar tudo que estou fazendo só para beijá-la, quero sentir o calor do corpo dela mais uma vez. Mas ainda não me sinto seguro aqui na escola. Nem por mim, muito menos por ela. Tive uma prova do que os babacas daqui podem fazer agora há pouco.

— E, Ju, todo mundo é importante quando estamos no meio de uma luta como a nossa — Eloá diz com entusiasmo o bastante para me fazer querer abraçar seu corpo magro. — Eu não sei se você e o Ícaro sabem, mas eu sou trans, mal pisei neste raio de escola e já fui agredida verbalmente, fui humilhada.

As caras dos dois garotos estão cheias de espanto e repulsa. Fico me perguntando como eles não ficaram sabendo do que aconteceu, nossa escola não é tão grande assim.

— Mulher, como assim? — Juracy e Ícaro parecem ter combinado a pergunta, suas vozes e palavras são tão iguais, que é quase impossível perceber que os dois falaram juntos.

Eloá apenas confirma com a cabeça. Os olhos dela estão molhados, mas brilham com raiva. Não havia percebido o quanto isso ainda a incomoda e me sinto um lixo por não ter tocado mais no assunto.

— Essa escola é tão cheia de macho escroto, que por Gaga, só tacando fogo em todo mundo. —Cheio de raiva e indignação, Juracy continua: — Desde o dia que cheguei aqui, o que faz mais ou menos umas duas semanas, também não tive muita paz.

— Olha, é terrível, eu sei muito bem disso — Eloá o responde, mas continua olhando para mim, como se quisesse dizer outra coisa além do que está falando. — São bilhetes, olhares, comentários pobres e tudo o que você pode imaginar. Mas o que tem me mantido de pé é este garoto aqui. — Ela aponta para mim e começo a sentir meu rosto queimar quase que instantaneamente. Eloá continua: — Ele sofre tanto quanto a gente, mas tem feito tudo que há de possível para que essa merda aqui se torne mais justa.

Juracy bate palmas, de tão animado que está. Mal conheço o garoto e já o adoro com todo o meu coração.

— Bem — digo, interrompendo a comemoração de Juracy, as bufadas de Nands e a indiferença tímida de Ícaro. — Acho que esse é o começo perfeito. Por mais que nós não tenhamos um lugar para nos reunir, agora sei que os meus esforços e os da Eloá não foram em vão. Eu estou muito feliz de poder contar com vocês, de verdade.

Todos os meus amigos sorriem para mim, até mesmo Nands, que tem se mostrado uma verdadeira rainha do gelo. Respiro fundo, meu estômago ronca um pouco, estou morto de fome. Mas, de verdade, não sei se consigo comer sem me lembrar do ocorrido com o Maicon, é provável que eu acabe vomitando no processo.

— David? — É Ícaro quem quebra o silêncio, sua voz é baixa e cheia de timidez. Os cachos curtos e meio embaraçados do garoto são tão complexos, que acabou me perdendo um pouco enquanto os observo. — Você não quer conversar sobre o que aconteceu lá no banheiro?

Sinto vontade de me enfiar debaixo da mesinha na qual estamos reunidos. Apenas de ter quase certeza de que não caberei lá embaixo, quero fazê-lo mesmo assim. Meu rosto vai ficando cada vez mais vermelho, ele está queimando. Sinto-me envergonhado, não sei como explicar tudo o que aconteceu para eles. Tenho medo de que alguém escute, de que Maicon escute, e queira se vingar mais tarde.

Não sei se aguento outro ataque.

— Dê, está tudo bem, você está entre amigos e ninguém aqui vai deixar que alguma coisa ruim aconteça com você, pode ter certeza disso. — A voz de Eloá é tão tranquilizante, que por alguns segundos esqueço tudo que está ao meu redor. — Eu percebi mesmo que você tava meio estranho, meio borocochô.

Respiro fundo e pego a garrafinha de água dentro da minha mochila. Dou um gole bem generoso e tento deixar as palavras fluírem.

— Eu não sei muito se quero falar isso. — Olho para os meus pés durante alguns instantes, como se algo neles fosse capaz de me teletransportar para um reino cheio de paz e coisas fofinhas. — Tenho medo de que ele escute, daí vai ser pior e eu não sei se consigo lidar com isso.

Para a minha surpresa, Nands se levanta se coloca do meu lado. A mão dela pesa em meu ombro.

— Você não conseguiria lidar com isso se você estivesse sozinho, mas você não está, você tem a gente! — A voz dela está um pouco mais grossa do o que o normal e suas palavras me arrepiam por inteiro.

Quero abraçá-la, mas não sei se ela iria gostar disto. Então me reservo o direito de sorrir, apenas.

— Isso mesmo, seu bobo — Juracy grita com todo o entusiasmo do mundo. — Você tem a gente. E eu seria uma biscoiteira sem brilho se dissesse que não queria dar um basta naquele cara, se você está falando de quem eu estou pensando, é claro.

Ele se levanta também, assim como Eloá e Ícaro, todos estão a minha volta. E eu nem sei o que dizer. Sinto gratidão, sinto-me acolhido. Agora, mais do que nunca, sei que posso contar com cada um deles, mesmo os conhecendo por tão pouco tempo. Com certeza o Clube dos Desajustados já está dando frutos maravilhosos.

Depois de enrolar horrores, de comer quase toda a batata de Eloá por ter esquecido meu lanche em casa, decido abrir o bico. Conto a história toda do começo. Com exceção de Ícaro, todos parecem surpresos e indignados. Nands resmunga algumas vezes e por pouco não dá um belo de um murro na mesa de concreto. Juracy tem lágrimas prestes a jorrarem de seus olhos e Eloá me abraça com força.

— Eu não sei o que seria de mim sem vocês, de verdade — digo, por fim. — Acho que agora posso dizer, com toda a certeza desse mundo louco, que o clube dos desajustados foi inaugurado.

— *Yay!* — gritamos todos juntos, cheios de animação.

A galera em volta de nós no pátio começa a nos encarar, tentando entender o motivo de tanta animação. Quando uma das patricinhas passa por nós com a típica cara de nojo, Nands lança o dedo do meio para ela, que sai esbravejando.

— *Gentem*! — Eloá solta um gritinho. — *Bora* se juntar, quero uma selfie bem *purpurinada*pra colocar no meu *Insta* e, quem sabe futuramente, a gente não cria uma página no *Face*!

Nós nos juntamos. Em vez de tentar dar meu sorriso mais bonito, faço uma careta icônica e bem desajustada. Eloá faz alguns cliques apaixonados e morre de amor, dando pulinhos e gritinhos.

A sensação de estar fazendo parte de algo, de ser aceito pelo que sou e estar junto de pessoas guerreiras enche o meu peito. É felicidade que chama, não é?

Capítulo 19

Depois de um dia cheio de reviravoltas, momentos felizes e esclarecedores, só queria chegar à minha casa e dormir pelo resto dias. Que inocente eu, esquecendo a prova de matemática que tenho daqui quatro dias!

Corro para o quarto e nem me importo com o fato de ainda estar com o uniforme da escola. Pego meus livros para estudar, estou pronto para me jogar na cama e morrer de tédio com Bhaskara e geometria, quando me deparo com um pacote embrulhado em papel para presente.

Deixo, literalmente, os livros caírem em volta de mim e corro para agarrar o pacote misterioso.

Com todo o cuidado do mundo, desfaço o laço pomposo e abro o saquinho do melhor jeito para que ele não rasgue.

— *Aaaahhhhhh!* — Meu grito deve ter sido ouvido lá na Ásia, tamanha minha surpresa.

Simplesmente não consigo acreditar que minha mãe aumentou seu nível de amor ainda mais e está me dando um *headphone* fodão. Claro que não é aquele de quase dois mil golpes, mas é um tão bom quanto. E ainda é sem fio, o bonitão.

Saco meu celular do bolso e começo a digitar um textão agradecendo mamãe e aproveito para enviar uma foto minha usando junto com a mensagem. Estou impressionado que ele serve perfeitamente nas minhas orelhas grandes e não incomoda em nada quando encosta nas hastes dos meus óculos.

Eu: Ñ ACREDITO QUE VC CONSEGUE SEMPRE AUMENTAR OS PADRÕES DE MELHOR MÃE DO MUNDO!

Mamãe provavelmente está muito ocupada no trabalho, pois ainda nem visualizou minha mensagem. Bem, continuo feliz *pra caramba*. Aproveito o momento para colocar essa coisinha linda para funcionar.

Prestes a colocar o rock mais pesado que eu conheço, provavelmente Suicide Silence, sou interrompido por uma ligação de Eloá.

— E aí, bebê! O que você está fazendo, hein?

Olho para os livros no chão, para o fone na minha mão e tento me focar na voz dela.

— Eu estava indo estudar, mas daí vi que minha deusa-mãe resolveu me presentear com fones novos e eu ia testar. — Estou tão animado que atropelo todas as palavras possíveis. — Mas diz aí, você está bem?

— Humm — A voz do desinteresse podia muito bem ser a voz de Eloá. — Pensei que você estava livre... porque eu não tenho nada pra fazer e estava pensando em dar um rolezinhocom você em algum parque.

Corro e me sento de frente para o meu notebook, coloco uma musiquinha bem suave e começo a fazer umas pesquisas antes de respondê-la.

— Ainda tá aí, fofo? — Ouço a voz alta ao meu ouvido que quase dou um pulo.

— Nossa, quase morri! — Rio ao final da frase, mas estou quase desesperado. — Então, eu acho que não vai rolar sair, preciso mesmo estudar pra essa droga de prova, mas se você quiser, pode vir pra cá e me ajudar.

O lado de Eloá da ligação fica mudo durantes alguns segundos, deve estar pensando no que fazer, e se é okay vir na minha casa. Para falar a verdade, não sei como minha mãe vai reagir, mas acho que já está na hora da nossa amizade(se é que posso chamar esta relação de amizade) sair dos passeios externos e dos encontros no colégio. Poxa, eu sou um garoto caseiro, é mais do que aceitável eu querer receber meus amigos aqui em casa, não é?

— Okay, — Eloá diz e me assusta mais uma vez. — Passa o seu endereço por mensagem, logo-logo estou aí, okay?

— Tá bom, sua linda, beijos! — Enrolo para que ela desligue primeiro, mas não acontece, então acabo apertando ícone vermelho para encerrar a ligação.

Digito rapidamente uma mensagem com o meu endereço e envio para Eloá. Em seguida, envio mais uma mensagem para mamãe dizendo que ela está vindo aqui em casa e perguntando se não tem problema. Ela nem visualiza, mas espero que não veja problema nenhum nisso.

Aproveito meu resto de tempo livre para escutar minhas músicas preferidas enquanto dou uma ajeitada no quarto. Em menos de dois dias, já consegui juntar uma pilha de roupas, espalhar livros por todos os cantos possíveis e ainda largar dois pratinhos, nos quais comi doce, em cima da mesinha do computador.

É claro que não quero que Eloá tenha como primeira impressão, do David de casa, aguém bagunceiro e mal organizado. Quero que ela veja como é meu quarto sem nada atrapalhando. Espero que ela se interesse por cada livro exposto na minha estante velha e me pergunte sobre eles.

Resumindo, estou prestes a ter um *piripaque* com tanta ansiedade.

Com tudo arrumado e pronto para receber minha amiga — quase namorada, faço questão de lembrar —, aumento as caixinhas e corro para a sala. Sento no sofá ao lado de Lily e começo a acariciar a gata do jeito que ela gosta. Minha bichana favorita começa a ronronar sem parar por conta da satisfação.

Interrompendo nosso momento de lazer, meu celular vibra com mensagens de Eloá.

Eloá: Tô no buzão! Espero ter pegado o ônibus certo hahahaha

Junto da mensagem, ela me manda uma foto sentada no banco azul e típico do nosso transporte público ultrapassado. Sorri e mando um emoji de positivo para ela. Sua resposta nada mais é do que um emoji revirando os olhos.

Volto a acariciar Lily, que sai correndo feito uma louca depois de alguns instantes. O que foi um bom sinal, se ela não houvesse saído correndo, eu não teria me tocado de que o telefone de casa estava gritando loucamente.

Preciso parar de ouvir música no último volume.

Corro até a cozinha,onde fica o telefone, e o atendo.

— E aí, filhote! — É mamãe. Tento ficar calmo, mas tenho certeza de que ela só está me ligando para dizer que Eloá não pode vir aqui em casa. — Gostou da surpresa? Espero que tenha acertado na escolha!

Respiro fundo, estico-me o máximo que posso sem destruir o telefone e me sirvo de um copo d'água da torneira. Depois de um belo gole, crio coragem de responder mamãe.

— Quê isso, acertou em cheio e eu amei! — falo meio gritando por causa da música alta. — Como a senhora está?

Mamãe ri do outro lado da linha.

— A senhora está lá no céu, mas eu estou bem, sim. — Ela pigarreia para limpar a voz. Já deve ter falado com muitos pacientes hoje. — Mas, me conta, que história é essa da sua quase namorada indo aí sem a minha presença?

Reviro os olhos. Por mais que eu pense da mesma forma que ela, não é o que realmente está acontecendo.

— De onde você tirou isso, hein? — Mamãe ri e não me responde. — Nós somos só amigos, a gente deu um beijo e pronto, nada mais. Credo!

Dou mais um gole na água, pois minha garganta está estranhamente seca para um dia não tão quente.

— Filho, você só fala em Eloá, faz tudo que envolve esta garota. Como quer que eu pense de outra forma?

Tento encontrar palavras que se encaixem perfeitamente numa frase para convencê-la de que está errada, mas falho miseravelmente. Mesmo assim, não assumo ter culpa no cartório e deixo com que ela prossiga a conversa:

— Bom, não tem problema ela ir aí em casa, desde que vocês não aprontem nada de estranho, certo? — avisa e respondo um grunhido digno de um zumbi. — Fica bem, mais tarde a gente se fala mais,okay?Beijos.

E, então, mamãe simplesmente desliga o telefone, me deixando com aquele beep horroroso.

Coloco o telefone no gancho e penso em como ocupar meu tempo até Eloá chegar. Eu poderia, muito bem, estar estudando, mas não acredito que conseguirei me focar com tanta ansiedade.

Abro a geladeira, talvez seja legal preparar alguma coisa para nós dois comermos enquanto ela me ajuda a estudar. Deparo-me com um monte de comida congelada, alguns refrigerantes e meus olhos devem brilhar com intensidade quando passam pelo pacote de batata para fritar congelada.

Dou um murro no ar, quase acerto a porta aberta do freezer, mas, mesmo assim, comemoro a conquista alcançada. Saio dançando pela casa, quase me esqueço completamente da prova e que tenho que estudar para ela.

Como pode uma pessoa mexer tanto assim com a gente? Faz pouco mais de um mês desde que conheci Eloá e ela já consegue tornar tudo em minha vida mais agradável, parece que todas as coisas ficam mais bonitas e que até as situações difíceis ficam suportáveis.

Um dia ainda vou entender como funciona essa coisa chamada coração, pois ainda não sei realmente o que acontece aqui dentro do meu peito. É como se, antes dela, eu não soubesse o real sentido do verbo sentir. Conhecê-la foi como receber um toque de uma magia invisível que fez com que meus olhos enxergassem o mundo — enxergassem a mim — de uma forma nova, colorida e cheia de esperança.

Sento-me no sofá, ainda delirando um pouco sobre tudo o que está acontecendo. Será que foi assim que aconteceu com papai e mamãe? Quero me lembrar, mais tarde, de fazer esta pergunta a ela. Talvez mamãe consiga me ajudar a entender melhor tudo isso.

Estou bocejando de sono, o que é um pouco estranho. Não tenho o costume de dormir durante a tarde, mas a vida, apesar de muito boa recentemente, tem sido bem cansativa. Meus pensamentos giram entre tudo o que pode acontecer comigo e com Eloá daqui para a frente e a bendita prova de matemática.

Não tem problema nenhum fechar os olhos por alguns...

— O que tá acontecendo, pelo amor do Deus Afogado? — grito a plenos pulmões ao ser despertado pela campainha desesperada.

Só pode ser Eloá e eu nem me toquei que dormi. Ela deve estar bufando de nervoso.Eu estaria.

Pulo do sofá sem cuidado nenhum e corro até a porta. Nem consigo me importar se estou com a cara toda amassada, ou com marca de baba nos cantos da boca. Passo pela saída da sala e através da garagem até o portão.

Luto para encontrar a chave certa e finalmente consigo destrancar o pequeno portão — que fica dentro do portão maior — e me deparo com uma Eloá tão bela que quase caio de costas.

— Garoto, eu tava quase virando os pés e indo pra casa! — Ela me abraça, dá um beijinho no meu rosto e já vai entrando sem muita cerimônia.

— Err... eu acho que acabei pegando no sono enquanto te esperava. — Corro atrás dela e abro a porta da sala novamente, indico para que ela entre e a sigo até o sofá.

Nós dois nos esparramamos no sofá e Lily vem logo saber o que está acontecendo. A gata, toda desconfiada, encara Eloá por uma eternidade. É quase uma disputa para ver qual das duas pisca primeiro. Depois de um tempo, minha gata e a garota pela qual estou me apaixonando parecem criar uma relação de puro carinho e amizade.

— É, pelo visto estou atrapalhando as duas, não é? — Solto e emendo em uma risada seca e sem graça. Levanto-me e estendo a mão para Eloá. — Deixa eu te mostrar meu quarto antes que eu perca sua atenção de vez.

Ela me encara com uma expressão engraçada no rosto e começo a sentir minhas bochechas queimarem de vergonha.

— Socorro! — Tapo a cara com as mãos e respiro fundo, envergonhado. — Para de pensar besteira, garota.

Eloá sorri e agarra minha mão com força. Saímos correndo até meu quarto rindo feito loucos. Acho que é isso que as pessoas chamam de felicidade. Quando a gente ri à toa, por coisas simples e sem muito sentido, é porque realmente estamos felizes. E é o que sinto neste momento.

Tenho certeza de que meu pai e o Paulão estariam felizes agora se pudessem me ver.

E eu mal posso esperar a hora de me sentar naquele escritório sem graça do meu psicólogo e contar tudo isso para ele. Só espero que ele não venha com aquele assunto de dependência e tudo mais. Quero mesmo é que ele entenda que estou feliz, que estou bem comigo mesmo e que quero que o resto do mundo se exploda.

Entramos no quarto, é quase impossível ouvir qualquer coisa além de *Helena*, do My Chemical Romance. Eloá me encara com um sorriso enorme no rosto e eu não sei se agora é a hora perfeita ou não, mas começo a me aproximar dela tomado de calor.

Tento ignorar a energia tomando conta do carinha lá de baixo e encosto minhas mãos nos ombros dela. Será que estou fazendo tudo certo? Acho que amor, relacionamentos e beijos deveriam ter alguma espécie de manual, pois me sinto totalmente perdido neste momento.

Interrompo-me por um momento e fito meus pés descalços, meio sem saber o que fazer. Quando crio coragem, finco meus olhos nos dela e tento me esquecer de tudo ao meu redor. Nossas bocas começam a se aproximar vagarosamente para só então se tocarem.

Meu corpo se enche de energia, de força e vontade de amar. No começo, não consigo mexer nada além da boca, mas logo começo a abraçar Eloá com todo o meu ser. E ela me retribuí.

Se eu pudesse ter um gênio da lâmpada assim como Aladdin teve, escolheria passar a eternidade neste momento, mas acabamos por desgrudar as nossas bocas.

Infelizmente nós, seres humanos, precisamos respirar.

— Nossa, quem diria que My Chemical Romance daria uma boa trilha sonora para um beijo, não é? — Eloá está meio ofegante e gritando.

Eu mal consigo parar de respirar com força para respondê-la. Corro para abaixar um pouco o som e volto a olhar a pessoa responsável pelo ser no qual estou me transformando.

— Mulher, esses homens deveriam ser considerados deuses. — Sento-me na cama e olho à minha volta. — Mas, e aí, o que achou do meu QG?

Eloá olha ao redor. Caminha pelo meu pequeno espaço e para de frente para a estante cheia de livros. Ela parece encantada com o que encontra ali. Os dedos magros dela tocam cada uma das lombadas, é como se, a cada título sentido, a cada textura, ela entendesse um pouco mais sobre mim.

E de certa forma, os livros que as pessoas leem falam muito mais sobre elas, do que atitudes propriamente ditas.

A garota dos meus sonhos se vira para mim, os olhos castanhos cheios de água e um belo de um sorriso em seu rosto. Ela se apressa em minha direção, se abaixa até que nossos rostos estejam na mesma altura. Eloá segura minha cabeça com as duas mãos para que eu não desvie meu olhar e me dá um beijo na testa.

— David, eu não sei muito bem o que dizer, mas estou sentindo tantas coisas ao mesmo tempo... — Ela me dá outro beijo, desta vez na bochecha. — Você não deve ter o mínimo de noção do quanto significa para mim.

E então começamos as nos beijar novamente. Já não consigo me importar com mais nada ao meu redor, nem com o carinha lá de baixo dando sinal de vida mais uma vez sem que eu peça.

Capítulo 20

Fazia tanto tempo que eu não passava uma tarde tão maravilhosa quanto àquela de três dias atrás! Eloá ter vindo na minha casa pela primeira vez me deu uma energia absurda, algo que eu já não experimentava fazia um bom tempo. Tê-la por perto, seus beijos e nossas conversas sobre as coisas mais aleatórias do mundo, dá-me vontade de me aproximar mais das pessoas ao meu redor.

Antes, tudo o que importava para mim era mamãe. Ela era, além de tudo, minha melhor amiga, a pessoa com quem eu podia contar para tudo. Agora consigo perceber que não preciso mais sobrecarregá-la com tudo, posso deixar que pessoas, meus amigos, façam parte da minha vida e vejam quem é o David de verdade.

E isso é tão bom, que não consigo explicar direito. Preciso falar com alguém mais por dentro do assunto do que eu. E é por isso que estou mais feliz do que nunca por estar a caminho de uma consulta com Paulão.

Estou num ônibus lotado de pessoas. Não posso mentir e dizer que gostaria de me enfiar em algum cantinho envolto numa redoma por ser meio antissocial. Mas, pela primeira vez, não está sendo tão ruim estar perto dessa montoeira de gente.

Não estou nem me importando muito com o fato de estar morrendo de calor, ou com as olhadas incisivas do pessoal que provavelmente me acham gordo demais para pegar um ônibus lotado. Que se danem eles e o preconceito que impede que vejam como a vida pode ser boa.

As coisas começaram a ficar um pouco entediantes na escola nos últimos dias. Não tivemos tempo de nos reunir na hora do intervalo e mal nos falamos. A famosa semana de provas definitivamente está acabando com tudo que a gente gosta de fazer, mas pelo menos o final de semana está chegando e tenho alguns planos com a galera.

Já estou cansado de ficar de pé bem no meio do corredor do ônibus. Meu braço direito parece estar prestes a se desgrudar do resto do meu corpo. É como se eu fosse um zumbi em estado de decomposição apenas esperando por uma força maior do que qualquer outra para me desmontar todinho.

O trânsito está me tirando do sério, nem a música pulsante nos meus ouvidos me faz ficar mais calmo. Batuco meu pé no piso do veículo sem nem perceber a força que estou usando. Até que uma senhora me cutuca e olha com cara feia para mim.

Respiro fundo e reviro os olhos depois que ela volta a fofocar sobre a vida de alguém. Só espero que não seja a minha.

Depois de quase meia hora revirando os olhos, bufando e morrendo de calor, consigo chegar ao meu destino. As ruas pelo menos estão calmas, então consigo chegar ao postinho bem rápido e sem problemas.

Me sento numa daquelas cadeiras que ficam grudadas umas nas outras e espero ser chamado. Enquanto não sou, resolvo fuçar nas minhas redes sociais. Começo a excluir boa parte das pessoas que só se importam em comentar coisas ruins sobre mim, silêncio os parentes evangélicos e fascista e tento ser um pouco mais feliz com o que tenho em mãos.

Abro o serviço de *streaming* musical que estou usando atualmente e decido clicar naquelas playlists de descobertas semanas.

A primeira música não me surpreende muito, um rockzinho com uns efeitos eletrônicos bem sem vida. Mas quando a segunda começa a tocar, dou um belo de um pulo na cadeira. Gritos potentes — se é que posso chamar isso de grito — invadem meus ouvidos, riffs agitados e batidas estrondosas completam a agressividade da tal *Job For a Cowboy*. Acho que, se mamãe me pegasse ouvindo essas coisas, teria um belo de um treco.

Com sorte, Paulo abre a porta do consultório e pede que eu entre. Levanto-me, desligo os fones e interrompo a música no celular. Guardo tudo dentro da mochila — que tenho mania de carregar mesmo quando está vazia — e me apresso até a salinha sem graça.

Meu psicólogo não está tão sorridente hoje, mas não me atrevo a perguntar, senão ele virá com aquela coisa de que ele é o ouvinte e eu que devo falar sobre a minha vida e blá-blá-blá. Sento-me na poltrona confortável e começo a encará-lo, minha língua já coçando para despejar tudo que tenho vivido nos últimos dias.

— David, como você está, meu garoto? — Pelo menos o tom de voz dele parece um pouco mais animado do que a cara.

Dou meu primeiro sorriso branco e tiro meus óculos um pouco.

— Eu tenho tanta coisa pra falar, Paulo! — Esforço-me para não soltar aqueles gritinhos histéricos que as garotas soltam em filmes colegiais. — Acho que minha vida nunca esteve tão boa.

Já consigo imaginar os coraçõezinhos rodeando minha cabeça e pulsando em meus olhos. Acho que estou totalmente inserido naquele universo paralelo em que vivem os adolescentes bobos e apaixonados.

— Conta aí, então, jovem!

O autocontrole acaba de me dizer adeus. Estou tão animado — muito mais do que o normal —, que acabo batendo palminhas e solto um gritinho. Paulo me encara e solta uma bela de uma gargalhada.

Não sei até que ponto essa nossa interação pode ser considerada profissional, mas quem se importa, não é?

— Ai, Paulo, é tanta coisa. E, se prepare, envolve Eloá. — Ele me lança um daqueles olhares desconfiados que os detetives do cinema trocam com seus parceiros e me deixa prosseguir. — A gente está em um nível totalmente diferente de relação. Andamos dando uns beijos tão maravilhosos, que não consigo pensar em outra coisa.

— Espera um pouquinho, deixa eu ver se entendi, David. — Ele se interrompe e faz alguma anotação ultrassecreta. — Vocês estão namorando? É isso?

Reviro os olhos e dou uma tossida para expressar meu desconforto.

— Meu Deus! Queria entender por que todo mundo enfiou na cabeça que estamos namorando. — Respiro fundo para não superaquecer. — A gente tá se conhecendo e é isso. Bom, voltando ao assunto. A gente acabou criando um grupinho de pessoas que sofrem preconceito dentro da escola. Ainda é uma coisa pequena, mas acho que vai dar certo e a gente vai acabar fazendo a diferença.

Ele me encara meio desconfiado e continua fazendo suas anotações. Queria muito ser uma mosquinha, ou sei lá, uma partícula de poeira, só para saber o que ele tanto escreve. Mas deve existir algum motivo muito bom para não me mostrar.

— Bem, David, eu posso dizer que o amor é uma coisa complicada e, ao mesmo tempo, boa. — Mais anotações, senhor. — Mas cada um deve entender a sua forma de amar, no seu próprio tempo. Estou muito feliz com o seu progresso, de verdade. Agora sobre o grupo, meus parabéns. É importante que dentro de um ambiente como o escolar, a diversidade seja respeitada e acolhida. E, para isso, vocês não podem se esconder nos cantos escuros dos corredores e pátios. Continuem fazendo isso, vocês têm todo o meu apoio.

Sorrio. Juro que se o Paulo não fosse meu médico, eu me levantaria rapidamente só para abraçá-lo com força.

Acho que eu talvez me sentiria assim com o meu pai. Se ele ainda estivesse aqui, tenho certeza de que seriamos bons amigos e entenderíamos completamente as necessidades um do outro.

Meus braços se arrepiam com a falta que ele me faz. Tento ser forte para não chorar na frente do meu psicólogo, mas as lágrimas são mais fortes do que eu imaginava. Não chego a estar soluçando, mas sinto alguns tremores em minha pele.

Paulo se levanta — e só sei disso por ter escutado o barulho da poltrona sendo arrastada. Ele me entrega um copo com água e coloca uma das mãos em meu ombro. Respiro fundo e tento retomar o controle.

Talvez eu tenha me esquecido um pouco da falta que meu pai me faz por conta de tudo de bom que está acontecendo comigo.

— Ei, garoto, o que está acontecendo? — A voz dele é calma e consegue me tranquilizar um pouco.

— Sei lá, Paulo. — Solto um suspiro arrastado e cheio de sentimento. — Comecei a pensar no meu pai e na falta que ele me faz, sabe? Você é tudo que eu gostaria que ele fosse se estivesse presente na minha vida.

Ele arrasta a outra cadeira que está ao lado da minha e coloca de frente para mim. Estamos muito próximos um do outro. Paulo cruza as duas mãos, respira fundo e perfura meus olhos com os dele.

— David, é difícil e eu sei disso, mas nós já conversamos muito sobre isso, não é? — Sua mão esquerda agarra minhas duas mãos, estou batendo meu pé direito incessantemente no carpete. — Você precisa lidar com isso se cercando de pessoas que fazem bem a você. Sua mãe o criou de uma forma maravilhosa e agora você está fazendo amizades novas que claramente estão botando você para cima. Agora é só seguir a vida e pensar no que é melhor, está certo?

Apenas confirmo com a cabeça e me pego pensando em tudo o que ele acabou de me dizer. As lágrimas param de escorrer com tanta força, mas ainda há muito o que superar para que elas não me assolem mais.

Bato umas três vezes à porta de mamãe até que ela aparece com fones de ouvido idênticos aos meus pendurados no pescoço. Ela me lança um sorriso enorme e me abraça com força.

— Que legal, comprou um fone igual o meu, dona Bonita! — Dou uma risadinha sem graça, é a primeira vez que vejo minha mãe usando fones. — Brincadeira, peguei um trânsito absurdo pra voltar da consulta com o Paulo.

Mamãe sai do quarto e deixa a porta aberta para que a Lily possa sair também. A louca da gata sai correndo e pulando, animada com alguma coisa inexplicável. Seguimos para a cozinha e me deparo com a mesa do jantar já servida. Mamãe provavelmente só estava me esperando mesmo.

— Que saco, não é, filhote? Eu odeio trânsito, mas é a sina de morar em São Paulo. — Ela se senta e eu faço mesmo. Ficamos um de frente para o outro. — Mas, e aí, me conta sobre a sessão com o seu psicólogo e como foi seu encontro com a minha quase nora ontem!

Reviro os olhos enquanto me sirvo de purê de batata, bife frito, arroz e feijão. Depois de boas colheradas que acalmam meu estômago, começo a contar tudo para mamãe. As expressões delas vão de *"Uau!"* até sorrisos bobos e descontraídos. Ela se levanta de seu lugar e corre para me dar um abraço apertado seguido do famoso cafuné que só ela sabe fazer.

— Poxa, eu estou tão orgulhosa de você, meu anjo!

Forço um sorriso daqueles de canto de boca e tento não ficar vermelho, mas é praticamente impossível para uma pessoa ruiva como eu.

Terminamos de comer e partimos para o nosso ritual de sexta-feira, que é assistir alguma comédia romântica, melosa o bastante para dar sono em nós dois, na Netflix.

Nós nos esparramamos no sofá e, enquanto mamãe zanza pelo catálogo, me pego fazendo um cálculo de probabilidade de ainda caber pipoca em meu estômago. Talvez seja melhor não.

Mamãe acaba escolhendo um filme natalino qualquer e depois de trinta minutos de risadas forçadas, decidimos fazer uma pipoca e continuar a maratona de She-ra, que está *um hino* de série.

Enquanto mamãe prepara o aperitivo, penso nos meus planos para o final de semana. Acabo concluindo que não tenho nada de tão importante para fazer, já que estudei a semana inteira para prova e preciso descansar a mente o máximo que puder. Pode ser interessante reunir o Clube dos Desajustados aqui em casa. A gente precisa mesmo começar a pensar em pautas interessantes para colocar em prática dentro da escola.

Antes de correr desesperado até a cozinha para pedir permissão para a mamãe, abro o nosso grupo do whats e envio uma mensagem com a sugestão. Não demora muito para que as respostas pipoquem em minha tela inicial.

Eloá: topadíssima!

Ju: Vai ter comes e bebes?

Nands: tenho nada melhor pra fazer mesmo...

Ícaro: se eu puder levar meu namorado, estou dentro.

Corro até a cozinha. Mamãe já está colocando a pipoca na tigela. O cheiro da manteiga derretida invade meu nariz e minha boca se enche de água. Quase me esqueço o que vim fazer aqui.

— Ei, dona mãe, tudo bem se meus amigos vierem aqui no domingo?

Sorrio e faço cara de gato pidão enquanto ela termina de temperar a pipoca. Ela passa a me olhar, esperando por mais alguma informação.

— Daí, você podia fazer algumas coisinhas pra gente comer e tal, o que acha?

Mamãe abre um belo de um sorriso. É a primeira vez que penso em trazer alguém em casa — tirando Eloá, porque ela nem estava em casa — e isso a deixa animada.

— Meu filho, nem precisava de tanta cerimônia!

Seguimos até a sala e nos jogamos no sofá. Por pouco não me sento em cima de Lily, que está roncando esparramada no meu canto. Mamãe continua:

— Já passou da hora de você começar a trazer amigos em casa.

— Yay! — Solto o famoso gritinho enquanto digito a mensagem de confirmação no grupo.

Mal consigo focar no desenho que estamos assistindo, de tanta ansiedade que estou sentindo.

Capítulo 21

Meu sábado se resumiu em jogar videogame, comer besteira e surtar de ansiedade por não ver a hora da nossa reunião começar. Passei horas e horas pensando em coisas interessantes o bastante para conversar com a turminha, pesquisando sobre comidas que todos os adolescentes gostam e filmes para caso a gente queira algo mais descontraído.

Mamãe saiu durante todo o dia para fazer compras e passear com as amigas no parque Ibirapuera. Então fiquei bem tranquilo sozinho.

Tranquilo entre aspas, pois Lily parece ter amanhecido possuída pelo ritmo Ragatanga. A gata não parou quieta um minuto sequer. Isso sem dizer que ela fez questão de fazer cocô no banheiro limpinho, pisar em cima e espalhar a merda pela casa toda.

Bem, pelo menos, posso agradecer que domingo já chegou e que meus amigos estão a caminho.

Estou numa correria ajudando mamãe a preparar tudo. Decidimos fazer pasteizinhos e pudim. Além disso, tenho certeza de que de minha mãe vai inventar de jogar algum jogo de tabuleiro ou coisa do tipo. Mal posso esperar para descobrir o desenrolar dessa reunião maluca de última hora.

Já temos quase tudo pronto, faltam só alguns dos pastéis para rechear e os refrigerantes já estão na geladeira. Minha doce e querida mãe resolveu colocar uma *playlist* de hinos pop para tocar. Agora, em vez de focar em coisas mais proveitosas, está dançando — horrivelmente, devo dizer — uma música antiga da Britney Spears.

Só consigo revirar meus olhos e desejar que se torne aceitável ser uma pessoa sociável com fones de ouvido no máximo. Pena que ainda não é possível.

Respiro fundo, termino minha parte do serviço e corro para o quarto sem ela nem perceber. Aproveito meu restinho de tempo sozinho para ouvir alguma coisa pesada com meus poderosos novos fones de ouvido.

O tempo passa voando enquanto escuto as músicas do Queen pensando em Eloá. Talvez esteja na hora de tentar oficializar este nosso relacionamento. Não sei ao certo e não tenho muito tempo para pensar nisso, pois ouço as batidas à porta do meu quarto no espaço vazio entre o fim de uma música e outra.

Me levanto apressado para atender a pessoa desesperada à minha porta. Nem tive tempo de trocar de roupa, credo.

Quando abro a porta, deparo-me com Eloá, que mais parece uma deusa do que qualquer outra coisa. Ela está vestindo um vestidinho cor-de-rosa, sapatilhas num azul clarinho e bem fofo. O cabelo dela está todo preso numa trança *diferentona* e o sorriso dela quase me faz derreter.

— Ah! Vem cá me dar um abraço, seu lindo! — Eloá abre os braços, está pronta para me acolher e eu apenas me jogo. — Agora vamos, que a turminha está lá na sala nos esperando.

Agarro a mão dela e saímos apressados até a sala. Estão todos sentados nos dois sofás de casa e Ícaro trouxe mesmo o namorado, que é um garoto gordo e negro, com um topete de dar inveja em qualquer um. Gostaria de ter a confiança dele.

— Oi, gente! — Generalizo para não ficarmos enrolando enquanto falo com todo mundo.

Ícaro se levanta e puxa o namorado junto. Enquanto isso, minha mãe consegue manter uma conversa até que interessante com Nands e Juracy.

— David, esse aqui é Guto, meu namorado! — Ícaro diz, mais animado do que em qualquer outra vez em que estivemos juntos.

Estendo minha mão para o Guto, mas ele me surpreende com um beijo no rosto. Fico vermelho instantaneamente. Não sou uma pessoa de muitos contatos físicos com quem não conheço e estou me esforçando horrores para não transparecer meu desconforto. Para a minha sorte, Guto parece não perceber, abre um sorriso e continua o papo:

— O Ícaro me falou tanto desse grupinho de vocês, e de como você e a Eloá estão empenhados em fazer a diferença, que eu não pude deixar de conferir de perto! — Ele solta um gritinho animado e os dois voltam a se sentar.

Juracy não para de tagarelar junto com minha mãe enquanto Nands faz questão de dar mais atenção para Lily, do que para qualquer outra pessoa na sala. Penso no que dizer para unir todos em uma conversa só, mas não consigo lembrar de nada tão importante.

— Quem quer ouvir uma boa música? — Eloá resolve meu problema.

Por mais que eu não esteja nem um pouco animado com a seleção de músicas que podem vir a tocar, tento agradecer mentalmente a ela por estar tentando unir todo mundo.

A garota liga a TV e logo abre o aplicativo do YouTube. Depois de muito zanzar e pensar no que escolher, Eloá decide por uma *playlist* inspirada nas músicas mais tocadas da atualidade.

Aos poucos a trilha sonora de Eloá vai fazendo com que nos aproximemos mais e mais. Mamãe agora deve estar na cozinha preparando alguma coisa para a gente comer. Só de pensar nas possibilidades sinto minha boca salivar a minha barriga roncar.

A garota dos meus sonhos está com a cabeça cheia de cabelos apoiada no meu ombro. Enquanto sinto cócegas causadas pelos fios, observo-a colocar ideias e mais ideias no papel de sua caderneta. Juracy tenta, incansavelmente, arrancar palavras significativas da Nands. Ele está claramente decepcionado com a falta de atenção da garota e se emburra um pouco, mas logo encontra refúgio acariciando Lily.

O casal de pombinhos, Guto e Ícaro, me deixa com uma pontinha bem pequena de inveja. Depois de ter conhecido Eloá, comecei a sentir uma baita necessidade de ter alguém ao meu lado. O sentimento ainda é meio estranho, confesso, nunca havia me sentido desta forma, mas acho que estou preparado para deixar com que ele tome conta de mim.

Meio que me desligo de tudo ao meu redor, a galera está conversando sobre planos, ideias para melhorar as coisas. Mas eu, o cara que deveria estar mais interessado nisso tudo, só consigo me focar em sentir todas as sensações que ela me faz sentir. Os fios de cabelo tocando a pele nua do meu pescoço. O calor que o corpo dela emana e invade o meu. Todos estes pequenos detalhes me fazem sentir liberdade... me fazem sentir uma semente de felicidade brotando bem lá no meio do meu coração.

Pego-me sorrindo sozinho e, quando me dou conta das ações desenvolvidas ao meu redor, meu olhar cruza com o de mamãe. Os olhos dela brilham como estrelas em um céu limpo de uma noite de verão. Seus lábios estão escancarados em um baita sorriso. Aos poucos ela vem se aproximando e o sorriso cheio de dentes cuidadosamente brancos brilha com intensidade. Quero correr para abraçá-la. Minha vontade é arrastar mamãe para o quarto e começar a contar como a minha vida tem feito sentido, como estou começando a me sentir verdadeiramente feliz e de bem comigo mesmo. Mas, além de sem graça, isso seria um pouquinho vergonhoso.

Nands não para de me encarar, ela parece encucada com minha cara de bobo. Tenho a impressão de que, a qualquer momento, a garota irá levantar e me colocar contra a parede só para descobrir o que está se passando pela minha cabeça. Mas logo ela solta um risinho bobo e começa a se encher com as batatas fritas que mamãe acabou de colocar no meio da roda.

— Minhas fofuras, eu não sei quem não bebe refri e tal, então quem quiser é só ir lá na cozinha, abrir a geladeira e pronto. — Mamãe cantarola e quando está prestes a se enfiar no quarto, se lembra de algo. — Ah! Quase me esqueci, tem sorvete e suco também.

O dia se desenrola num piscar de olhos. É isso que acontece quando fazemos algo com quem nos faz bem. Entre piadas ruins, episódios meio sem graça de uma competição de *drag queens* e planejamento do nosso clube de militância, ainda conseguimos tempo para incansáveis fotos sugeridas por Juracy.

— Bem... — O garoto tagarela tenta começar a falar, mas todos nós soltamos um não desesperado. Acho que ele já falou demais por hoje, não é?

— Então,galera, acho mesmo que a gente precisa ir até o diretor e pedir uma sala pra gente se reunir, não é? —Eloá toma as rédeas da conversar. — Mas isso a gente vai conquistar aos poucos e com bem mais planejamento do que fizemos hoje, não é? Bom, quero dizer também que todos vocês estão convidados para o meu aniversário, que vai ser daqui duas semanas,okay?

Assusto-me um pouco, mas automaticamente meus amigos sacam os celulares dos bolsos e começam a criar lembretes. Não que eu não curta tecnologia e tal, mas certas coisas são meio desnecessárias.

— E a minha casa tá aqui, sempre que vocês não tiverem o que fazer. — Estou bem animado. E estar animado com qualquer coisa é sempre uma baita surpresa para mim.

Acompanho meus amigos até o portão, já pensando em quando vou vê-los de novo. Sei que ficarei longe deles por pouco tempo, afinal, amanhã temos mais um dia de desafios e aulas entediantes. Mesmo assim, pego-me pensando em quão vazios ficarão os dias em que eu não os veja.

Capítulo 22

Estou suando feito um porco dentro de um forno. Não sei o motivo de aulas de educação física serem obrigatórias, mas elas me irritam porque me fazem ficar grudento o dia inteiro. E tudo para quase nada. Sei daquele blá-blá-blá de ter que se exercitar, do tal colesterol e tudo mais. Mas, poxa, podia ser algo menos cansativo, menos sujo.

Ainda bem que já está acabando.

Dou mais umas duas voltas vagarosas em volta da quadra. Meu corpo deve ter ativado algum modo automático que só me faz seguir sem pensar muito, sem sentir para onde estou indo. E, quando vou me dar conta do que estou fazendo, acabo tropeçando em uma das incontáveis rachaduras no piso da quadra.

Tudo parece estar em câmera lenta, o chão se aproxima cada vez mais e, com isso, meu desespero aumenta rapidamente. Meus pensamentos transitam entre o medo de algum babaca estar acompanhando a cena e o desespero diante da possibilidade de quebrar o nariz.

Apesar das coisas estarem se desenrolando em *slowmotion* na minha cabecinha cheia de cabelos desgrenhados, já estou estatelado no chão. Juro que seu eu pudesse me ver lá do alto, como uma mosca telespectadora voando sem rumo algum, avistaria uma poça de pele e banha espalhada no chão da quadra. Sabe, tipo acontece com a Rita — aquela da Patrulha do Destino — quando ela está estressada demais.

Aos poucos começo a ouvir a preocupação e comoção de alguns dos meus colegas, e o riso da outra grande parcela deles. Sinto alguém se aproximar rapidamente, mas não espero até que a pessoa chegue e começo a me levantar. Não quero passar mais vergonha do que já estou passando.

O professor estende a mão grande e calejada. Eu a agarro sem pensar duas vezes. Até que minha cara não está doendo tanto quanto eu imaginei que ela doeria. Talvez eu seja mesmo bastante exagerado e cheio de desespero. Vai ver é por isso que eu superaqueça tão facilmente. Faço uma anotação mental rápida para me lembrar de conversar sobre isso com o meu psicólogo.

Ricardo, o nosso professor *bombadinho*, que sempre arranca suspiros desnecessários da maioria das garotas deste colégio, me acompanha até um dos bancos da quadra. Sento-me sem pressa alguma e suspiro. Meus dedos estão tremendo um pouco por conta do nervoso e uma parte do meu nariz arde. Penso em passar a mão em cima do local, mas lembro que esse tipo de ação pode me contaminar com alguma bactéria estranha, então não o faço.

O brutamontes me olha de cima, o encaro por alguns instantes e percebo preocupação em seu rosto bronzeado.

— Pera aí, garoto! — Ele começa a se afastar e eu suspiro aliviado. — Só vou ali na secretária pegar um pouco de gelo para colocar nesse nariz e já volto, dois "*vs*",okay?

Eu juro que quero ter forças para responder e tentar passar uma imagem de garoto forte e que não sente dor, mas só consigo manter minha cabeça baixa. Minhas lágrimas se misturam de uma maneira meia nojenta ao sangue que escorre do meu nariz. O combinado avermelhado pinga no chão cinza e rachado da quadra e meu estômago se revira cada vez mais. Tenho a impressão de que irei vomitar a qualquer momento se não parar de olhar para o pontilhado vermelho.

Minha cabeça começa a girar mais do que o considerado aceitável. Tudo parece demais, os sons das pessoas conversando, o vento que bate em meu rosto e o ardor causado pelos raios do sol. Mas de repente sinto um toque. Calmo, doce e hesitante.

Dou um sobressalto, assustado. Tento aos poucos me acalmar e forço minha cabeça a se levantar.

A luz dourada do sol contorna perfeitamente a silhueta dela. Os cachos negros voam e se bagunçam com o vento. O rosto de Eloá começa a ganhar foco conforme ela se aproxima. Percebo a preocupação em seu rosto delicado e brilhoso.

A garota dos meus sonhos só para quando está na mesma altura que eu, quando nossos olhos estão perfeitamente alinhados. Por um instante, tenho a impressão de estar vendo todas as dores dela, todas as suas lutas em suas írises castanhas e brilhosas. Quero me apressar em um abraço, dizer que, mais do que nunca, estou ao lado dela, mas a dor que sinto na cara inteira me faz pensar duas vezes.

Eloá suspira e me abraça com a leveza de uma pena.

— O que aconteceu, Dê? — Ela levanta meu rosto com cuidado e analisa o estrago que eu causei no meu próprio nariz. — Quem foi o filho da mãe que fez isso contigo? Hein?

Encaro-a, meus olhos ainda ardem com a mistura nojenta proveniente de lágrimas e suor. Tento dizer algo, explicar que ninguém foi o culpado desta vez, mas uma onda de tosses fortes irrompe de minha boca. Tenho a impressão de que um pedaço de carne está sendo arrancado de dentro de mim, tamanha a ardência que toma conta da minha garganta.

— Ainda bem que você ainda está aqui, garoto! — Professor Ricardo surge do nada, uma bolsa enorme de gelo em suas mãos enormes.

Eloá o encara desconfiada, ela respira fundo e está ficando cada vez mais nervosa. Os pés dela não param de batucar o chão de concreto da quadra, o salto da bota dela faz um barulho irritante demais e que me faz querer sair correndo para longe. Mas ela não para.

— Eu não acredito que você os deixou fazer isso com o Dê, seu sem noção! — Ela grita a plenos pulmões com o professor, quero me levantar e tapar a boca da garota, afinal, ela não sabe o que aconteceu e está entrando em um território perigoso. — Me dá isso aqui!

A garota enraivecida toma a bolsinha de gelo das mãos de Ricardo, que fica olhando sem reação durante algum tempo. Ela posiciona o pacote gelado sobre o meu nariz, causando uma pontada de dor que me faz pular no concreto duro. Solto um grunhido meio abafado.

Sinto Ricardo se aproximar da gente e já me preparo para o que está por vir.

— Mo... — Ele se interrompe, meio sem saber como chamar Eloá. Isso faz meu sangue ferver, quero dizer vários absurdos para ele. Mas ela se vira para encará-lo, esperando que ele prossiga. — Você deveria ter tido um pouco de educação, sabe? Seu amigo caiu feito um saco de batatas murchas, sozinho. Então, que tal você ir lá na diretoria assinar uma advertência?

— É, o quê? — Eloá parece estar chocada, mas eu não estou em posição de fazer nada além de manter o gelo no meu nariz.

— Você ouviu bem, agora, vamos. — Ele começa a se afastar, mas ela não o segue, por isso ele se vira para nos encarar. — Quanto mais rápido você for, melhor é. E o senhor, David, cuide bem desse nariz. E, da próxima vez, vê se explica pra sua amiga como as coisas aconteceram.

Eloá o segue pisando duro. Eu espero um pouco e corro para pegar as minhas coisas debaixo de um dos bancos. Meu nariz já parou de sangrar, pelo menos, e então corro atrás dos dois.

Esgueiro-me por entre os outros alunos. Sinto bastante dor no nariz, provavelmente o quebrei, mas não me importo. Estou ofegante e parece que não chegarei à diretoria nunca.

— Ei!

Ouço Nands gritar ao longe, mas não tenho tempo para parar e explicar as coisas para ela.

Estou quase chegando, faltam só alguns passos. Meu nariz estranhamente para de latejar, mas ainda sinto um pouco de sangue escorrer. Estou esbaforido, a porta da diretoria está bem diante de mim, mas eu preciso parar um pouco e me estabilizar antes de fazer qualquer coisa.

Abaixo-me apoiando as mãos nos joelhos ralados e doloridos. Eu odeio bermudas, mas sou obrigado a utilizá-las para participar das aulas de educação física. E minhas notas são boas em tudo, não gostaria de ter alguma vermelha por conta do preconceito com shorts e bermudas.

Sinto meu coração dar uma acalmada, meus poros param de expelir suor exageradamente e minha respiração parece menos ofegante. Saco meu celular de dentro da mochila surrada do Batman, abro a câmera frontal e observo pela primeira vez o estrago que fiz em minha própria cara. Há um pouco de sangue escurecido perto da minha boca e algumas casquinhas em volta de cada buraquinho do meu nariz.

Tento mexer meu nariz e me sinto um idiota instantaneamente. Uma pontada forte de dor toma conta do meu rosto e eu quase solto um grito alto, mas engulo com força enquanto algumas lágrimas escorrem dos meus olhos.

Respiro fundo, engulo o restinho do choro e me aproximo da porta da sala para tentar ouvir alguma coisa. Não sei se escuto mal, ou se as paredes são grossas demais, mas não consigo ouvir um só barulhinho.

Penso um milhão de vezes antes de finalmente bater à porta. Como sou abusado, acabo abrindo antes de qualquer resposta. Ricardo, que está de saída, me olha de cima a baixo, tentando entender o motivo de eu estar aqui. Ele revira os olhos de forma inesperada e continua seu caminho.

A sala cheira a mofo, café e livros empoeirados. Meu nariz coça, mas me esforço ao máximo para não espirrar e causar ainda mais dor. O diretor Freitas está sentado com uma baita carranca encarando Eloá. A garota não parece preocupada e enquanto enrolas os cachos nas pontas dos dedos finos.

Finalmente crio coragem o suficiente para entrar de vez e fecho a porta atrás de mim. O diretor abre um sorrisinho malicioso, pelo visto acabei de cair em uma armadilha não pensada.

— Que bom que você apareceu, David! — Seu tom desafiador e irônico me tira do sério. — Sente-se, eu estava prestes a começar a conversar com sua amiga.

O sinal de aspas que ele faz com os dedos enquanto diz a palavra "amiga" me embrulha o estômago. Como alguém que é pago unicamente para se preocupar com a nossa vida dentro destes corredores pode ser tão preconceituoso e baixo assim?

Mesmo cheio de raiva, apresso-me e arrasto a cadeira ao lado de Eloá para me sentar. Sinto que uma tempestade está por vir e eu nem mesmo sei o que fazer até que ela passe.

— Eu já resolvi o problema com a mocinha aqui. — Diretor Freitas se levanta e caminha até estar atrás de nós dois. — Agora preciso resolver uma coisa que tem me incomodado nos últimos dias.

Viro-me para encarar Eloá e ela acaba por revirar os olhos conforme Freitas tamborila um dos pés bem atrás dela.

— Vocês acharam mesmo que eu não ia descobrir sobre essa ideia idiota de clubinho que espalharam por aí?

Viro-me rápido demais para encarar o diretor. Sinto meu rosto esquentar e, por consequência, adquirir um tom mais vermelho que o normal. Estou com raiva, estou mais frustrado do que o normal.

— Nós somos livres, sabia? — grito, sem nem mesmo me preocupar em manter o controle, sem medo das consequências. — E que eu saiba, a escola é um lugar pra gente pensar fora da caixa, não pra gente seguir roboticamente!

Eloá, sem muita cerimônia, envolve minha mão direita com sua esquerda e a aperta com força. Sinto como se sua energia e a minha estivessem sendo compartilhadas. Força percorre pelas minhas veias, aquele medo bobo já se tornou apenas um pedacinho insignificante dentro de mim.

Acabo por abrir um sorriso grande demais, irritando ainda mais o diretor.

— Me poupe, David! — Ele esbraveja feito um cão feroz. — Isso aqui é uma escola pública, pelo amor de Deus!

Eloá revira os olhos e bufa, tudo ao mesmo tempo. Ela faz menção a falar, mas é interrompida por Freitas.

— Eu não quero me prolongar nisso, tenho mais o que fazer. — Ele volta a se sentar na poltrona confortável demais para o nível dele. — A partir de hoje, eu não quero sonhar que vocês estejam se reunindo com essa porcaria de grupinho de militância barata, ou tomarei providências. Agora façam-me o favor e vão estudar!

Levanto-me e apoio as duas mãos sobre a mesa dele. Respiro fundo e arrumo os óculos até estarem na altura correta dos meus olhos.

— Você...

— Sem mais, sumam daqui! — Ele me interrompe e não temos a chance de um diálogo decente.

Eloá parece nervosa o suficiente para tacar uma bomba nesta sala, mas sai pisando duro. Os saltos das botas dela fazem um barulho intenso e agudo que me faz sentir uma pequena dor de cabeça. Reviro os olhos e a sigo. Não demora muito até que nós dois nos separamos e entramos cada um em uma sala diferente.

Capítulo 23

Nem estava lembrando que meu celular estava no meu bolso e só agora percebo sua presença com a vibração intensa do aparelho. Talvez este seja o mal de usar fones de ouvido com *bluetooth* e desligar as notificações sonoras.

Pego o esquecido e vejo que o grupo do *WhatsApp* que nós criamos está bombando com um monte de mensagens revoltadas sobre a ameaça do diretor Freitas. Tento digitar uma mensagem de apoio para eles em meio ao balançar do ônibus, mas falho miseravelmente. Por isso me utilizo do recurso mais preguiçoso que um aplicativo de mensagens poderia ter criado e começo a gravar um áudio.

— Bom, galerinha, eu e a Eloá também ficamos chocados e sem saber o que fazer. Só que eu acho que a gente precisa dar um tempinho pra evitar confusão.

Solto o botão de gravar antes de terminar o que queria dizer e reviro os olhos diante da minha burrice. Mas a preguiça está um pouco forte hoje, então começo a gravar um segundo áudio.

— E, sei lá, sempre que a gente quiser se encontrar, tem a minha casa e tal, tem um monte de praças pela cidade e muita coisa legal. — Uma pequena pausa para respirar. — Sei que não vai ser tão significativo, mas primeiro a gente precisa pensar direitinho no que vamos fazer pra conquistar nosso espaço, certo?

Eu definitivamente deixaria meus áudios passarem batidos se eu estivesse do outro lado da tela, mas meus amigos são bem mais educados e amorosos do que eu, então já devem ter ouvido.

Nands e Ícaro simplesmente mandam o emoji de *joinha* e isso me deixa puto, mas vou fingir que estou de boa com eles. Juracy está digitando faz uma eternidade. E ele já fala pelos cotovelos normalmente, tenho até medo do textão que deve estar escrevendo.

Para minha surpresa total, o bendito envia apenas um "ok" seco e sem graça.

O fluxo de mensagens do grupo passa de entusiasmado para entediante em questão de segundos. Por pouco não cochilo no banco surrado do ônibus, quase perco o ponto e desço apressadamente do veículo.

Quando entro na sala de casa, vejo mamãe sentada lendo alguma revista de moda — ou costura, sei lá! — daquelas que ela gosta de usar para fingir que entende alguma coisa sobre roupas. Aproximo-me dela com cautela para não a assustar e, quando chego perto o bastante, beijo sua testa com carinho.

— E aí, como foi o dia da senhora?

Ela levanta os olhos por sobre as páginas.

— Ai, filho, sei lá, meio sem graça! — Mamãe suspira. Ela é tão viciada em trabalho, que os dias de folga são sempre entediantes e, segundo ela, perdidos. — E o seu, como foi?

Tiro a mochila dos ombros e jogo no chão, o que me rende uma cara emburrada de mamãe. Jogo-me no sofá ao lado de lá e Lily pula em meu colo tão rapidamente, que acabo me assustando.

— Ah, então... — Engulo em seco, ainda chateado com tudo o que aconteceu hoje. — Foi tão decepcionante que eu nem sei explicar. Eu me senti frustrado de verdade pela primeira vez, credo.

Bufo com a agonia. Queria poder fazer bem mais do que já fiz até agora, meu desejo é que eu tivesse superpoderes fortes o bastante para melhorar a vida de todo mundo — inclusive a minha — com um estalar de dedos.

Pena que eu não vivo em um mundo cor-de-rosa e cheio de unicórnios gordos e cintilantes.

Mamãe me encara, ela espera por mais. Hesito um pouco, espero por algumas palavras de conforto que só ela é capaz de dizer. É estranho se sentir deste jeito, de mãos atadas e agoniado. E pior ainda é sentir todos estes sentimentos ruins invadindo meu peito. É como se eles tivessem garras e rasgasse a pele do meu coração com toda a força do mundo.

Esta dor platônica e bem sem-noção para algumas pessoas me faz começar a chorar silenciosamente. Sei que minhas lágrimas estão molhando a blusinha de mamãe, pois estou com o rosto apoiado em seus seios. Ela acaricia minha cabeça em um cafuné desajeitado enquanto sussurra uma música que ela costumava cantar quando eu era bem pequeno.

— Filhote, eu nem sei o que aconteceu, mas não fica assim, não. — Ela suspira e beija o topo da minha cabeça. — Ver você assim corta o coração da mãe.

Respiro fundo e limpo meu nariz na manga da camisa mesmo e levanto os olhos para encará-la.

— Eu sei, mamãe, mas é muito difícil, sabe? Eu fico puto, dói bem aqui, ó! — Aponto para o meu peito enquanto falo. — É horrível não poder fazer nada quando as coisas começam a dar errado. Queria muito entender o motivo das pessoas serem tão ruins, de gostarem de ver os outros sendo odiados e julgados simplesmente por serem quem são.

Mamãe fixa seus olhos nos meus, é como se ela estivesse olhando minha própria alma nua, como realmente é. Um arrepio sobe através de minha espinha e, de repente, sou invadido por uma sensação de aconchego sem igual. Sinto todo o amor que ela tem por mim, toda a amizade que temos um com o outro. Sinto-me tão parte dela, quanto o céu e as nuvens são um do outro.

— Meu gordinho, é difícil, eu sei, mas infelizmente as pessoas ainda pensam muito no próprio umbigo. E o pior de tudo é que se assustam com aquilo que não conhecem, o medo delas faz com que entrem na defensiva. Infelizmente, essa defensiva nem sempre é uma coisa legal, às vezes ela machuca demais quem está do outro lado e o agressor nem mesmo se toca do mal que está fazendo.

Ao notar que estou sem palavras e que minhas lágrimas pararam de escorrer um pouco, mamãe continua:

— Eu quero que, a partir de agora, você passe a lutar mais pelas coisas que você acredita, okay? — Ela me abraça com força e me enche de beijos. — Você é forte e especial, David, e tenho certeza de que seus amigos vão lutar ao seu lado e o ajudarão toda vez que se sentir mal. — Mamãe se levanta e boceja — Agora, que tal você tomar um banho, comer alguma coisa e dormir? Eu estou cansada *pra caramba!*

Demoro um pouco para processar tudo o que ela acabou de me dizer. Talvez eu me torne mais forte daqui um tempo, essas mudanças demoram um pouco, não é? Mas é meio impossível se sentir mal e fraco quando se tem uma mãe como a minha.

Capítulo 24

— O que será que vai ser da gente sem poder fazer muita coisa aqui dentro da escola? — Ícaro parece bem desanimado depois do boicote do diretor. — Poxa, eu quero fazer a diferença junto com vocês, manas, mas eu fico com um pouco de medo, sabe?

Nands bufa e se remexe na cadeira dura do refeitório. Ela levanta o rosto, tira a franja de frente do olho esquerdo e encara Ícaro com raiva suficiente para assustar um leão.

— Mano, é agora que a gente precisa mostrar pra esses babacas que não somos um bando de adolescentes *mimadinhos* que não lutam por nada! — Ela se levanta e apoia as duas mãos na mesa redonda, quase derruba o copo de água que estava bebendo e volta a falar. — A não ser que você seja uma bichinha frouxa militante de sofá!

O rosto de Ícaro queima com raiva e o garoto se levanta com os olhos lacrimejando. Não sei qual será sua reação depois do comentário de Nands, mas não posso deixar nada disso acontecer.

— Gente! — Acabo falando um pouco mais alto do que deveria e alguns olhares se voltam para a nossa mesa, inclusive os de Maicon e sua turminha. — Sério mesmo que vocês vão começar a brigar entre si? É isso que eles querem, pô!

Eloá suspira e se levanta. Ela joga os cachos de uma forma estonteante, bem parecida com aqueles comerciais de *shampoo*.

— O Dêtá certinho, *lindes*! — Ela pisca para mim e isso faz meu rosto queimar com vergonha. — A gente é melhor que isso e eu acho que agora nós precisamos ser mais fortes ainda, entendem? A gente precisa se unir, lutar contra eles num jogo limpo, não rola desistir agora!

Neste momento, pergunto-me como alguém tem a coragem de odiar uma garota igual a ela. É inaceitável que uma pessoa tão guerreira, com tanto a oferecer, sofra por preconceito.

Ao olhar para ela, sinto que a garota dos meus sonhos carrega nas costas um peso cada vez maior. A cada dia que se passa, sua luta aumenta, seus medos têm a chance de se tornarem reais. A cada instante, Eloá sofre com a possibilidade de se tornar mais um número dentre as centenas de garotas mortas pelo simples fato de se amarem acima de qualquer outra coisa.

— Bom, *loves*, eu espero que vocês tenham entendido o recado, okay? — Eloá pega o celular de cima da mesa e o coloca no bolso. — Agora eu preciso correr para uma prova de inglês. Amo vocês, meus desajustadinhos lindos!

Com o retorno das aulas, nosso grupo acaba se dispersando facilmente. E escola pública é assim mesmo, não é? Um monte de turmas diferentes para um mesmo grau de formação. Às vezes, penso que isso é muito chato e tal, mas, se fosse diferente, tornaria as coisas menos divertidas.

Paulão parece estar meio emburrado hoje.

Meu psicólogo — ou terapeuta, como ele prefere que o chame — anda de um lado para o outro. Estamos meio que em uma competição para ver quem consegue ficar em silêncio por mais tempo.

Enquanto rumino a pequena reunião do clube dos desajustados durante o intervalo, tamborilo meus dedos sem parar na mesa de madeira maciça que geralmente me separa do Paulo.

Ele já parou para me encarar umas três vezes, mas ainda não parece ter conseguido definir completamente qual será nosso assunto de hoje.

Verifico o relógio analógico sobre a mesa dele e me perco ao tentar decifrar as horas. Parece estranho um cara jovem como eu não conseguir entender muito destas relíquias. Bom, devo isso ao meu vício pela tecnologia e não tenho culpa nenhuma se meu psicólogo tá preso num tempo em que relógios tinham ponteiros e números romanos.

— Parou, não é? — Solto e nem mesmo eu entendo.

Acho que estou um pouco cansado de tantos rodeios.

Paro por um longo instante e tento colocar meus pensamentos em ordem. Estou cansado dessas enrolações, sabe? Para tudo as pessoas precisam de tempo, para tudo a gente precisa pensar se vai dar certo ou não. E isso está me irritando de tal maneira, que até mesmo a postura cautelosa de Paulo consegue me tirar do sério.

— Quer falar sobre isso, mocinho?

— Sobre o quê, Paulão? — Encaro-o enquanto mordo meu lábio inferior numa tentativa inútil de me acalmar. — Eu, hein! Você está aí, andando feito uma barata tonta de um lado para o outro e eu que tenho que falar sobre qualquer coisa?

Meu psicólogo se senta em sua poltrona confortável e elegante. Ele tira os óculos cuidadosamente e os posta sobre a mesa. Pegando sua caderneta em seguida, o cara levanta os olhos até que eles estejam na mesma altura dos meus. Os olhos dele são escuros como a noite, mas brilham feito estrelas flamejantes num céu limpo.

Seu olhar me perfura, sinto vontade de correr e me esconder em qualquer cantinho que me caiba. Simplesmente me encolho para ouvir a lição de moral que ele está prestes a me dar.

— Sobre o quê, David? — Paulo tamborila os dedos da mão esquerda sobre a mesa enquanto anota algo com a outra. — Quero que você fale sobre essa sua raiva repentina, essa sensação de incomodo e urgência que você deve estar sentindo neste momento.

Reviro meus olhos feito um garoto mimado e bufo com intensidade.

— Sabe, estou cansado de sempre ter alguma enrolação. Dessa coisa das pessoas precisarem pensar sempre que querem fazer alguma coisa. — Levanto-me e vou até a janela. Vejo os carros passando de um lado para o outro e sinto vontade de chorar, mas me controlo. — Porque as coisas têm que ser assim? Pelo amor, eu só quero poder lutar pelo que acredito sem ninguém ditando regras!

Ouço Paulo se servindo de uma xicara de café e o cheiro invade meu nariz. Meu estômago se revolta e sinto um pouco de ânsia de vômito. Juro que queria gostar de café e me sentir *cult* igual a todo mundo que bebe, mas só consigo lembrar de fumantes e pessoas velhas sem muito o que fazer.

— Mas, meu querido, o que é que está faltando para você começar a lutar pelos seus ideais? — Viro-me para ele e Paulo me chama para me sentar diante de si. Apesar de estar com um pouco de raiva, sento-me e respiro fundo.

— Sei lá, sempre tem alguém para ir contra o que eu tento fazer. — Solto um grunhido um pouco raivoso demais. — Parece que é mais importante odiar quem é diferente e fazer a gente sentir medo, do que tentar entender. E isso me frustra.

Ele mexe os lábios até que eles formem um bico meio torno e solta um som esquisito. Por instantes, parece que o mundo se congelou a nossa volta. É como se uma eternidade se desenrolasse até o momento em que meu psicólogo finalmente decide quebrar o gelo.

— E o que te impede de deixar tudo isso de lado e tomar as rédeas da situação?

— Se lá, as consequências, às vezes, são muito catastróficas para mim. — Respiro fundo. — E por mais que eu tenha amigos maravilhosos e fortes, não quero que eles sofram nenhum tipo de represália por minha culpa, ou por culpa da Eloá.

Doutor Paulo parece pensar bastante antes de chegar a uma conclusão sobre o que me dizer. Não sei se estou preparado para o que vou ouvir, nem se quero de fato saber alguma opinião dele. Fecho os olhos e tento me manter calmo.

Imagens se formam. Tão irreais quanto o cabelo loiro de Daenerys na série de TV. Imagino como seria estar junto de Eloá, abraçados assistindo um filme qualquer enquanto comemos pipoca cheia de manteiga. Em outra cena imaginária, corremos numa praia deserta, dois adolescentes bobos e apaixonados, tipo naqueles filmes clichês adolescentes.

— Aff! — Solto sem pensar e acabo rindo por isso.

Meu psicólogo sorri e anota mais algumas coisas em sua caderneta. Quando volta a me encarar, sua expressão está séria como a que as pessoas esperam de um profissional como ele. E isso me assusta. Engulo em seco e me preparo para o que estar por vir.

— David, se você sente que precisa lutar por essas coisas... — Ele se interrompe para organizar as palavras da melhor forma possível. — Se, aí dentro deste seu coraçãozinho e dessa cabeça cheia de cabelos, você sente que é justo lutar por isso, então, meu querido, qualquer consequência vale a pena.

Suas palavras me atingem feito um tapa bem dado, daqueles que deixam a marca evidente durante dias. Solto um suspiro meio desesperado, concordo com o que ele disse. Acho que sou um pouco medroso demais, pois talvez ignore o que ele me disse e continue vivendo neste casulo sem graça que a gente cria para nos protegermos da realidade dura e sem piedade.

— Está vendo? — instiga e eu o encaro, querendo saber o que ele realmente quer dizer. — Você precisa ter mais iniciativa, ser mais corajoso. Quando você se tocar de que tudo o que amamos, tudo naquilo que acreditamos, vale qualquer consequência, você vai parar de se frustrar tanto.

Apenas abaixo a cabeça e deixo suas palavras fazerem seu papel. Mordo o canto dos lábios por conta da raiva que estou sentindo de mim neste momento.

— Bem, eu quero que, no nosso próximo encontro, você me conte tudo o que fez e quais foram as consequências, certo?

Confirmo com a cabeça e me levanto. Não digo uma palavra sequer, preciso colocar minhas ideias no lugar antes de tomar qualquer providência.

Durante todo o caminho, crio uma lista imaginária de tudo o que já perdi por não ser corajoso o suficiente para me levantar contra a opressão. E eu já perdi muito.

Perdi minha liberdade de poder andar nos corredores sem ter que ouvir xingamentos de qualquer tipo. Perdi o meu direito de poder comer sem ter vergonha. E principalmente, estou perdendo a oportunidade de estar cem por cento com a garota que amo.

E é por isso que eu preciso — e irei — lutar com unhas e dentes.

Capítulo 25

— O direito ao voto nem sempre foi como vocês conhecem, sabiam? — Ana Paula, a professora de história mais louca que eu já tive a oportunidade de conhecer, começa nossa aula de hoje com um assunto que pode dar muito o que falar.

Ouço alguns burburinhos, mas a professora não se acanha com eles, parece nem mesmo se importar com as conversas paralelas dos meus colegas. Talvez eles nem saibam do que ela está prestes a falar, nem do real significado desta conversa, mas não posso esperar para ver alguns machistas sendo destruídos com algumas palavras sabias dela.

— Nós, mulheres, não tínhamos o direito de participar da escolha dos governantes em nosso país. — Ela respira fundo. — Nós já éramos oprimidas em questão de trabalho, em caráter sexual e em tudo que vocês possam imaginar. Mas não era suficiente, precisavam tirar nosso direito básico de escolher quem comandaria nosso país, nossa cidade.

Alessandro, um dos amiguinhos de Maicon, levanta a mão. Fecho os olhos e respiro fundo, pois sei que boa coisa não irá sair da boca dele.

— Ah, prof, mulher tomando decisão é uma coisa complicada, não é? Então eu entendo e tal.

— Vai ver, é por isso que você nasceu, não é, querido?

E com está réplica inesperada de Lúcio, está formada a terceira guerra mundial no meio da nossa sala de aula.

Alessandro está vermelho feito um camarão frito. Ele se levanta de seu lugar, preparado para avançar sobre Lúcio e a confusão se intensifica. Xingamentos, gritos e pessoas incitando a briga. A cacofonia me dá dor da cabeça, mas fico imobilizado em meu lugar, meio que ainda sem entender como um assunto importante e tão simples pode deixar as pessoas com os nervos à flor da pele.

De repente, todo mundo para por conta do susto causado pela batida de uma régua de madeira sobre a mesa. Ana Paula parece estar enfurecida. A professora respira fundo, já deve ter contado uma sequência numérica impensável antes de ter tomado sua decisão.

— Vocês dois, Lúcio e Alessandro, já para a diretoria! — Ela se senta com a calma de uma leoa prestes a dar um bote em sua presa, repousa a régua ao lado dos diários e volta a encarar todos nós. — Ainda não foram? Não quero perder meu restinho de paciência, meninos!

O resto da confusão se dissipa feito fumaça. Os dois garotos, ainda bravos feito um cão raivoso, seguem para a diretoria. Sinto um pouco de preocupação por conta de Lúcio, sei lá, não confio nem um pouco em Alessandro e tenho medo dele acabar socando o garoto no meio do corredor.

Torço para que isso não aconteça.

— Bom, continuemos a aula. — Ana Paula se levanta novamente, desta vez com um baita giz cor-de-rosa na mão. Ela começa a rabiscar na lousa, arrepio-me por inteiro e me encolho na cadeira dura. — Eu espero conseguir terminar de explicar tudo sobre a importância do voto feminino para a nossa História, o assunto cai na prova. Agora, antes de continuarmos, copiem esta linha do tempo.

Ela se senta novamente, um pouco entediada agora. Fuça no celular enquanto copiamos todos os eventos importantes que ela acabou de colocar na lousa.

Para a minha surpresa e bem-estar de Ana Paula, o resto da aula correu bem. Sem confusões, mas, também, sem nenhuma contribuição por parte dos meus colegas.

— Fofuras do meu coração, quero vocês *todes* lá na minha casa no sábado!

Eloá está mais sorridente do que o normal. E isto me deixa feliz demais. Tão feliz, que a abraço sem nem pensar duas vezes. Ela ri.

— Calma, anjinho, não precisa me esmagar com tanto amor! Bom, meus pais vão fazer um bolinho com refri para o meu aniversário e vocês são importantes pra mim, okay?

Nós nos juntamos em um abraço desengonçado e quase sufocamos Eloá com tanto amor. Estamos rindo uns para os outros, quando, de repente, vejo um Lúcio choroso e com uma baita mancha vermelha do lado esquerdo do rosto.

Viro-me totalmente para ele e corro em sua direção. Meio que não consigo me controlar, quero abraçá-lo e dizer que tudo vai ficar bem. Mesmo nunca tendo sido um fã de carteirinha do garoto, posso jurar que sinto tudo o que ele deve estar sentindo e que seu desespero aperta meu coração.

— Ei, o que houve?

Seguro as mãos fortes do garoto com as minhas. Sinto que ele treme por inteiro. Suas lágrimas escorrem por seu rosto e caem em minha pele quente. Quase sinto vontade de chorar junto dele, mas consigo me controlar. Meu grupinho se aproxima da gente.

— Eu... — Ele soluça e balança a cabeça com incredulidade. — Eu não aguento mais, sabe? Sempre tentei parecer o cara mais normal possível, mas sei lá, não foi o suficiente.

— Mas, espera, não estou entendendo! — Solta Nands, um pouco alto demais.

Encaro o garoto que chora diante de mim, algo me diz que ficar dentro do armário escuro em que ele estava já não é mais uma opção. Imagino o quão sufocado não deve ter se sentido por todo este tempo, afinal, nunca suspeitei de nada. Ver sua discussão com Alessandro, a forma como ele se portou, me surpreendeu tanto quanto o resto da sala.

— Eu cansei de ficar escondendo quem eu sou de verdade, que gosto de caras e não de garotas. É um saco ter que ficar me escondendo, me privando de ser feliz, sabe? Hoje a aula de história foi a gota d'água e acho que acabei pagando um pouco caro por isso, levei um belo murro na cara. — Lúcio respira fundo, seca o rosto com a barra da camiseta branca do uniforme e pisca os olhos como se alguma sujeirinha estivesse o irritando. — E, velho, ninguém nessa porcaria de escola faz nada pra mudar essa situação, a gente tem que viver com medo de tudo.

Eloá abraça o garoto como uma mãe coruja abraça um filho ferido.

— Meu anjo, estamos aqui para isso,okay?— Ela arruma os cabelos pretos do garoto os retirando da frente dos olhos castanhos molhados. — Não sei se você sabe, mas este grupinho aqui está tentando fazer a diferença. E nós vamos conseguir. E se você quiser, se isso for fazer você se sentir melhor, seja bem-vindo, okay?

Seguimos para uma das mesinhas mais afastadas no refeitório, levamos Lúcio conosco. Faço de tudo para que ele se sinta como parte do nosso grupo. Eloá e Ícaro se dividem para explicar melhor quais são nossos planos para tentar mudar as coisas. Enquanto tudo isso se desenrola, Juraci e Nands fazem uma competição sem noção de Jogo da Velha.

Pela primeira vez, vejo todo mundo se dando perfeitamente bem. É como se, aos poucos, peças essenciais vão se encaixando neste quebra-cabeças colorido. Pode até estar demorando um pouco, mas uma hora nossas ações terão de surtir algum efeito, as coisas nesta escola precisam mudar de uma forma ou de outra.

Capítulo 26

Finalmente chegou o grande dia. Nós nos reunimos todos na casa da Eloá para comemorar mais um ano de vida e essa coisa toda. E é uma coisa bem diferente para mim, falando sério. Eu nunca era convidado para festas de aniversário e tal, nunca fui muito de amizades, sempre deslocado.

Pelo visto, isso tinha ficado no passado, não é mesmo?

A casa de Eloá era repleta de fotos de família, lembranças boas que qualquer um gostaria de ter. Fico feliz só de estar ali, naquele ambiente leve e cheio de harmonia.

Um detalhe não escapa, que são as fotos com um garotinho mirrado e com aparência tímida. Talvez seja Eloá antes de ter entendido quem realmente era. Não entendo muito o motivo de tais fotos ainda ficarem ali, não representam quem ela era de verdade. Mas não é bem da minha conta. É uma família feliz, ao contrário de todas as expectativas.

Às vezes, tudo é muito estranho, sabe? É um pouco difícil entender o motivo de pessoas simples, sem muitos bens, causarem tanta inveja, tanto incomodo em pessoas que tem muito mais do que elas.

Talvez falte felicidade na vida destes que sentem inveja de um sorriso genuíno, de alguém que se ame e se aceite como é.

Eu simplesmente não entendo.

Vejo os pais de Eloá superanimados com tudo que conseguiram fazer para a filha, o amor incondicional que eles sentem por ela, e tento imaginar como grande parte das pessoas consegue odiar e julgar algo tão bonito.

— Ei, dá pra sair dessa *vibe* estranha, queridão? — Eloá se senta ao meu lado, toda sorridente. Ela começa a mexer no meu cabelo desajeitado e é isso me faz esquecer de tudo por alguns instantes.

O simples ato de seu toque em meu corpo, do movimento de seus dedos em meu couro cabeludo, faz com que eu me sinta em um paraíso enigmático em que todos os meus sonhos podem se realizar. A sensação de calma, de pertencer a algo e de me sentir amado e querido, faz com que eu feche meus olhos e empurre todas as minhas dúvidas, todos os meus medos, para um canto bem escondido de minha mente.

Quero sentir isto sempre, mesmo quando ela não está por perto. Quero poder ser esta pessoa quando estou trancado em meu quarto ouvindo música. Ou, então, quando passo pelos corredores da escola.

Tenho certeza de que isto pode estar sendo difícil agora, mas ela, de alguma forma, tem me dado a força necessária para vencer.

Abro meus olhos e me viro para encará-la. Sua pele negra e maquiada é deslumbrante, seus cachos cuidadosamente modelados me enchem de felicidade.

— Que *vibe* estranha? Só estava pensando.

Ela me lança um sorriso cheio de mistérios e seus olhos castanhos brilham intensamente. Deixo um sorrisinho tímido se formar em meus lábios. Nem sei se meu sorriso é dos mais bonitos, ou se fico todo estranho quando algum consegue escapar. Mas com ela aqui do meu lado, não preciso me preocupar com todas estas besteiras superficiais.

— Para de pensar demais, fofo! — Eloá se levanta e estende a mão esquerda para mim. — Vamos ali cantar um pouco no meu karaokê improvisado!

A garota me arrasta através da sala com euforia. Nossos amigos estão todos sentados num sofá meio surrado, mas aparentemente aconchegante. Nands, para minha surpresa, está meio que fazendo um dueto com Juracy de uma música de Sandy e Junior. Sorrio enquanto vejo a cena se desenrolar com alegria e me sento em um dos braços do sofá, bem ao lado de Eloá.

— "Se a lenda dessa paixão, faz sorrir ou faz chorar, o coração é quem sabe"

Os dois até que cantam bem e, por mais que eu não seja fã de Sandy e Junior, acabo me movimentando de um lado para o outro, contagiado pela energia agradável que este momento está criando.

Não sei bem se já se passaram minutos ou horas, mas não quero que este dia acabe.

Poucos lugares me fazem sentir essa energia boa, a tal sensação de conforto. E aqui, na casa da única garota que foi capaz de me fazer sentir amor, me sinto o mais confortável possível.

Para todos os lados da casa, há comida. Salgadinhos, docinhos e alguns sanduíches de sabores interessantes. Empanturro-me sempre que dá. E o melhor de tudo, é que não preciso me esconder quando estou comendo. Sei muito bem que ninguém vai fazer cara feia para mim, muito menos rir a cada mordida colossal que dou em algum petisco.

— *Bora* cantar parabéns, cambada! — grita a mãe de Eloá, uma mulher na casa dos trinta, negra e cheia de atitude.

Nós nos juntamos em volta da mesa em que está o bolo, um alvoroço só. Risos e palminhas de alegria ecoam por toda a casa.

Eloá se coloca de frente para nós, bem atrás do bolo todo colorido, e começa a sorrir radiantemente.

Capítulo 27

Não tenho palavras para descrever o quão maravilhoso foi o aniversário da Eloá. Só pude sentir felicidade e uma sensação de acolhimento sem igual, os pais dela são o sonho de grande parte dos LGBT+ na nossa sociedade.

Acabamos de deixar a nossa turminha na estação de metrô e agora estamos caminhando um pouco pelo bairro dela. O pôr do sol está divino e a brisa suave me dá uma sensação de liberdade maravilhosa. Estamos de mãos dadas, pela primeira vez em dias, e meu coração está acelerado.

Penso em todos os momentos bons que vivemos até agora e um sorriso bobo se forma em meu rosto. Não nos importamos com quem está ao nosso redor, nem com as pendências de nossas vidas. Tudo o que queremos, é poder curtir este momento e que se dane o resto.

Se eu pudesse escolher uma trilha sonora para este momento, com certeza seria *Piece ofyour Heart*, da Mayday Parade. E eu meio que posso, não é? Então começo a cantarolar sem vergonha nenhuma.

Não tenho a mínima noção sobre a minha voz ser bonita ou não, mas consigo me sair bem no inglês. Eloá começa a me encarar, encantada com a música.

— You are the brightest I've seen, you are the best side of me. And just for when we're apart, I've got a piece of you heart[3]

Confesso dar algumas desafinadas durante toda a cena, mas não me acanho.

Eloá para abruptamente e se coloca diante de mim. Não sei ainda se ela entendeu a letra da música e o que ela diz sobre nós dois, mas os olhos dela estão brilhando com lágrimas de emoção e eu só quero poder falar tudo o que sinto por ela.

— Para tudo, querido, como você nunca me falou que sabe cantar? — Eloá sapateia de animação e seus cabelos balançam como se ela estivesse em um show de rock.

Enrubesço um pouquinho, mas me sinto mais feliz do que nunca. Depois de terminar a música tendo errado a letra umas duas ou três vezes, sento-me em um banquinho de concreto da praça onde estamos agora.

— E quem disse que eu sei?

Respiro fundo e penso em todas as probabilidades do que pode acontecer de agora em diante.

Tento imaginar como Eloá reagiria se eu a pedisse em namoro aqui, agora, no meio de uma praça, com vários casais de idosos e adolescentes gastando tempo. Esses pensamentos me dão um nó no estômago. Meio que tenho medo do desconhecido, de coisas que não consigo planejar previamente e colocar todas as possibilidades de dar merda em um papel.

Começo a suar frio e Eloá pega minha mão.

— Sua voz é linda, Dê! — Ela me abraça com força, juro que posso sentir seu coração batendo no peito, cheio de força para lutar e continuar fazendo a diferença. — Eu não faço a mínima ideia de quem canta essa música, se vou gostar dela quando chegar em casa e ouvir, mas você fez dela algo especial.

Cheguei a pensar que ela me pediria em namoro agora, suas palavras deram a entender isso. Mas não. Nada aconteceu e eu ainda estou aqui, tremendo-me inteiro e cheio de indecisões.

E se ela me disser que não, que não gosta tanto assim de mim? Estamos mesmo nesta fase de conhecermos quem somos, do que gostamos realmente. E gostar de pessoas, de querer estar com elas, faz parte deste processo.

Só que eu nunca vou saber se não me arriscar. Mamãe sempre me disse que "quem não arrisca, não petisca".

É quase como se uma guerra entre o meu medo e a minha vontade de estar com ela, de ter algo real e oficial, estivesse sendo trava dentro de mim. Sinto meu coração acelera e minha respiração ficar pesada. Minha pele está arrepiada e eu não consigo nem me mexer direito. Meus olhos estão fixos no chão coberto de paralelepípedos cheios de lodo e bitucas de cigarros.

Eloá me cutuca, não uma, mas três vezes, no ombro. Quando está prestes a dar a terceira cutucada, pulo num sobressalto e começo a encarar a garota que faz com que todos os meus dias de vida não sejam em vão.

— Você tá bem, Dê? — Ela parece preocupada.

Apesar de todas as neuras na minha cabeça, de todas as inseguranças e vontades de sair correndo para alguma colina distante, decido que é agora ou nunca. Eu amo esta garota e não dá mais para negar.

— Eloá, eu amo tanto você... — As palavras entalam em minha garganta, que mais parece o deserto do Saara, mas me forço a continuar. — E eu não sei você, mas eu preciso de algo a mais. Preciso acordar todos os dias e poder pensar, dizer para a minha mãe e para qualquer outra pessoa, que estou feliz por estar indo para a escola encontrar a minha namorada. Desde que você entrou na minha vida, nada mais me parece tão importante, eu nem me importo mais se a minha barriga é grande ou não. Tudo isso porque eu amo você.

Eloá me encara, sem palavras e de queixo caído. Posso jurar que mais lágrimas estão se formando nos olhos dela, mas ela não diz nada. Então, eu continuo:

— Por isso, quero te perguntar: namora comigo?

Eloá se levanta e começa a andar em círculos, claramente nervosa com a situação.

Eu não deveria ter jogado tudo assim de uma vez na cara dela. Estou acabando de descobrir que não sou nada bom com relacionamentos. Talvez eu mereça mesmo que ela me diga um não bem grande e me deixe sozinho aqui, largado às traças.

Percebo que as lágrimas estão escorrendo de forma torrencial dos olhos dela. Quero chorar junto, quero me desesperar e começar a gritar, mas me controlo, pois não sou uma pessoa surtada assim.

Eloá para, respira fundo e tenta se recompor, ainda não entendo bem o que ela está sentindo, mas sei bem o medo que está apunhalando meu peito.

Coloco as duas mãos no rosto e abaixo a cabeça. Tento encontrar palavras que a acalmem, que façam ela sentir tudo o que nossa relação significa. Mas não consigo, bem neste momento, minha cabeça parece dar uma bela de uma pane no sistema complexo de neurônios.

— David, eu não posso. — Entre soluços e lágrimas, as palavras dela finalmente ganham vida. E com elas, um pedaço do meu coração se vai. — Você não entenderia e isso está me matando. Mas não posso prender você a algo que vai acabar o machucando.

E com estas últimas palavras, Eloá começa a correr de volta para casa enquanto me deixa sozinho.

A lua já está alta no céu, posso jurar vê-la refletida nas lágrimas que caem dos meus olhos. Não sei até que ponto é aceitável que eu me sinta um lixo por isso, mas é como estou me sentindo.

Não sei o que fiz de errado, talvez ela ache que eu jamais teria a coragem de assumir um relacionamento com uma pessoa trans. E não faço a mínima ideia de como provar o contrário para Eloá.

Apesar da dor que estou sentindo, do desespero desenfreado, uma chama se acende no meu peito. Não posso desistir desta garota, nem que eu tenha que sair gritando no meio da rua que a amo até chegar em sua porta. Eu gritaria até ela me atender. Gritaria mais ainda até ela me deixar entrar e só pararia quando finalmente nos entendêssemos.

Capítulo 28

Respiro fundo e seco meu rosto molhado pelas lágrimas. Estou começando a me acalmar.

Dentro de mim posso sentir a determinação de um super-herói, um pequeno serzinho dentro da minha cabeça estava praticamente me implorando para ir atrás de Eloá. "*Você não pode desistir*", ele dizia inquieto em minha mente.

E eu realmente não queria. Aquela garota havia feito um reboliço em minha vida da noite para o dia, estava me mostrando o real sentido dessa vidinha sem graça que todo mundo tem hoje em dia. Como eu poderia simplesmente abandonar tudo? Ainda mais, por um medo bobo e sem noção?

Eu não posso simplesmente desistir agora, não posso deixar que ela se afaste de mim. Não posso perdê-la, nem agora, nem nunca.

Levanto-me do banquinho de concreto, determinado a ter minha garota de volta. Começo a correr em direção à casa dela como se não houvesse amanhã. Corro com toda a minha força, mais do que já corri durante toda a minha vida. Algumas lágrimas ainda insistem em cair dos meus olhos, mas não me incomodam.

Logo, a principal desvantagem de se ter um corpo rechonchudo começa a me atacar. Começo a sentir cansaço depois do segundo quarteirão. Meu peito queima a cada respiração, mas não me importo.

Nem sempre palavras são suficientes, eu sei muito bem disso. Mas ali estava, tentando formar um milhão de frases na minha cabeça que pudessem me ajudar a ter a confiança dela. Queria que se sentisse em casa, que visse em mim uma espécie de porto seguro, alguém com quem ela pudesse dividir todos os seus segredos.

Já dizia minha mãe, "um fardo compartilhado se torna mais leve, sempre". Então pode ser que não dê certo, que eu esteja me matando à toa, mas espero que ela entenda que jamais iria querer seu mal. Muito pelo contrário, sinto-me seguro de compartilhar tudo e qualquer coisa com ela. Eloá me faz sentir leveza, mesmo que não saiba, ela torna meu fardo menos difícil de carregar.

Paro um pouco para me recompor. estou suando feito um porco que comeu o dia inteiro. Respiro fundo, cheio de coragem agora, pronto para o que der e vier.

Falta menos de uma quadra para chegar à casa dela. Ainda sinto um pouco de medo, não vou negar, mas preciso resolver tudo de uma vez por todas. Engulo o restinho das inseguranças que insistiam em pular para fora e continuo o caminho.

A porta da casa dela está bem diante de mim agora. As luzes da sala e da cozinha estão acesas, mas as do quintal não. O muro azul-claro parece cinza com a escuridão da noite. Estou chegando perto e, do nada, uma tremedeira começa a assolar meus braços e pernas.

— Droga... — resmungo baixinho.

Seco o suor do rosto com a barra da minha camiseta, respiro fundo mais uma vez e tento ao máximo fingir tranquilidade.

Aproximo-me da porta. É como se estivesse me aproximando do episódio final de uma temporada de *GoT*, ou de um chefão do *Mario*. Ansiedade a mil, palmas das mãos suando e uma vontade gigantesca de dar nos pés e fingir que nada disso sequer aconteceu.

Mas, lá vamos nós.

Bato à porta.

De início, não conseguia escutar nada, nem um piado sequer.

Olho incansavelmente para o chão, é como se estivesse sentindo meu corpo de diminuir. Os sons distantes da movimentação paulistana parecem quase cessar, engolidos pela minha ansiedade crescente.

Estou prestes a sair correndo, quando escuto passos vindo em direção à porta. Arrepio-me por inteiro. É agora ou nunca.

A porta se abre.

— David. — A mãe de Eloá está diante de mim, todos aqueles cachos negros e imponentes diante de mim. — A Eloá não está muito bem, querido. Acho que é melhor você ir para casa,okay?

— Mas... — Engulo em seco. — Eu preciso muito falar com ela, diz que é urgente. Por favor!

Algumas lágrimas escapam dos meus olhos.

Ela abaixa os olhos, talvez sentisse pena de mim, ou dó, sei lá. A mãe de Eloá respira fundo.

— Espera um pouquinho, meu filho.

Ela se vai, deixando a porta aberta atras de si. Fico ali esperando, como se a minha vidadependesse daquilo.

O tempo se arrasta como uma eternidade, os segundos parecem horas sem ela voltar com uma resposta positiva. Gostaria de poder correr para dentro daquela casa, mas seria muita falta de educação da minha parte. Então simplesmente espero até que ela volte.

— David? — A mãe da garota dos meus sonhos está diante de mim e eu nem mesmo percebi. A encaro, meio aflito com tudo. — Ela está lá na sala, seja rápido, okay?

Só confirmo com a cabeça, me segurando para não entrar em desespero.

Ao entrar na casa, reparo nas muitas fotos de família. Nelas, um garotinho meio fechado ao lado da família de Eloá. Eu sabia de tudo, mas, mesmo assim, era estranho ver aquelas fotos. Elas não deveriam estar ali, tenho certeza. Sabia que a intenção não era ruim, mas não conseguia imaginar nada que elas pudessem trazer além de dor para a garota.

Quando chego à sala, dou de cara com uma Eloá meio descabelada, já de pijamas. Seu rosto angelical está um pouco inchado, os olhos moihados por lágrimas.

Sento-me ao lado dela no sofá e, por alguns instantes, deixo o silêncio nos engolir enquanto me junto a ela emum choro copioso e cheio de dor.

Capítulo 29

— Sabe, Eloá... — Engasgo em meio às lágrimas. — Desde aquele dia que a gente se conheceu, com toda aquela algazarra e tal...

Organizo mentalmente tudo que quero dizer a ela. Apesar de parecer um ato simples, nada tira de mim a sensação de que esta conversa pode ser a nossa última, que, qualquer palavra errada que eu disser, fará com que ela desapareça diante dos meus olhos. Busco, no fundo do meu peito, cautela e sabedoria. Não posso me dar ao luxo de perder o amor da minha vida assim.

— Você mudou algo dentro de mim, fez com que eu enxergasse algo que eu nunca havia percebido. — Suspiro, um pouco nervoso. — Foi naquele dia que eu percebi que, dentro deste serzinho rechonchudo, existia coragem e força. Você tem noção do que você é capaz?

Faço uma pausa, na esperança de receber alguma resposta, ou de ouvir a voz doce de Eloá falar qualquer coisa. Porém, não acontece. Foco meu olhar no vaso de flores de plástico empoeiradas em cima da mesinha de centro na esperança de conseguir parar de chorar e continuar com o que preciso dizer.

Respiro fundo, sinto minhas mãos suarem com o nervosismo. Preciso me abrir com ela, mostrar que não sou nenhum inimigo e que meu amor é o mais puro que existe. Preciso ser sincero e forte.

— Sabe, por muitas vezes, eu pensei em acabar com tudo. — Soluço sem conseguir me controlar, é um ponto muito delicado. — Não por querer morrer, mas por querer deixar de existir. Tudo seria muito mais fácil, naquela época, se eu simplesmente deixasse de existir. Não teria problemas com meu corpo, não precisaria entender que a gente nem sempre precisa ser amado, desde que a gente se ame antes de qualquer coisa.

Suspiro, as lágrimas atrapalham um pouco meu raciocínio.

— Mas, aí, você apareceu, naquele dia, bem diante de mim. E as coisas simplesmente começaram a fazer algum sentido. — Minha voz trêmula me deixa um pouco envergonhado, eu deveria mostrar ser forte agora, mas simplesmente não consigo me controlar. Mesmo assim continuo. — Então não pense você que eu vou deixar você desaparecer por medo de que algo de errado. Eu estou aqui e sempre vou estar. Eu te amo, Eloá, do jeitinho que você é!

Espero que ela diga algo, qualquer coisa que seja, mas não acontece. Demora um pouco até que ela resolve me abraçar. Sinto o molhado de suas lágrimas, elas enxarcam minha camiseta e se unem às minhas, tornando-se um mar de emoções.

Ficamos assim durante um tempinho, apenas abraçados, sem uma palavra sequer. Mas nossos corpos diziam muito. Cada tremida, cada energia trocada, falava um pouco sobre amor, companheirismo e coragem. E eu era grato por poder sentir aquilo. Sentir que não estava mais sozinho neste mundo tão complicado me dava esperanças, forças para levantar a cabeça e continuar lutando, um dia de cada vez, esta guerra interminável.

— Dê... — Sua voz me tira da terra dos sonhos em que eu estava. — Eu também amo você. Mais do que você imagina, mas agora eu preciso ficar um pouco sozinha pra colocar as coisas no lugar, tá bom?

Eloá beija a minha testa e simplesmente se levanta, desaparecendo casa adentro.

Sei que devo dar espaço a ela, mas simplesmente não entendo. Meu chão desaba e o desespero toma conta de mim. Não sei o que fazer, simplesmente não sei.

Quando passo pela porta da frente da casa dela e tomo meu caminho de volta para a minha, questiono-me se realmente estava certo em querer me entregar por inteiro.

Talvez eu não tenha nascido para este tipo de coisa mesmo.

Talvez a minha sina fosse terminar sozinho.

Mas não sei se teria coragem de enfrentar uma vida inteira sem ela.

Capítulo 30

Caminho apressadamente. Quanto mais rápido chegar à minha casa e me trancar em meu quarto, melhor.

Preciso do meu espaço, dos meus livros e daquele mundinho só meu.

Nada melhor do que fugir da realidade para lidar com problemas. As lágrimas cessaram, mas ainda sinto seus rastros secos que vão dos meus olhos até meu queixo.

Aquela sensação de ressecamento nos olhos me irrita um pouco, mas pensar nela acaba afastando da minha mente os pensamentos desesperadores sobre Eloá e sobre como tudo parece ter acabado.

As solas de meus pés começam a doer um pouco, por conta de toda a distância que percorri. Sinto vontade de parar, sentar-me na calçada e esquecer que existo neste mundo, nem que seja por alguns minutos. Mas aí me lembro de que é noite e que não é muito aconselhável ficar sozinho na rua a uma hora dessas.

Então continuo a andar. Suor escorre cada vez mais pelo meu rosto, às vezes faz meus olhos arderem e me irrita à beça. Fazer o quê? Uma das desvantagens de ser gordo é transpirar ao fazer qualquer movimento.

Hoje em dia, as pessoas dizem que não há problema algum nisso, ser gordo e tal. Que é uma coisa completamente normal, que corpos não deveriam importar e blá-blá-blá.

Mas, olha, na teoria tudo é uma maravilha só, flores e tudo mais. Porém, na prática, nada disso é verdade. Sempre que me sento em uma praça de alimentação, percebo os olhares tortos, as risadinhas e as caretas. E isso sempre me afetou, de uma forma ou de outra, até que ela chegou em minha vida.

Eloá fez com que, pela primeira vez, eu me sentisse alguém normal. Zero defeitos, perfeito da maneira que eu era. Meu coração ficava mais aconchegado dentro do peito toda vez que os olhos dela se viravam em minha direção. Ela fazia com que eu me sentisse bem estando neste mundo e sendo quem sou.

Não podia perder isto. De forma alguma.

Mesmo assim, aqui estou, andando a passos de tartaruga até minha casa, sem Eloá e sem esperanças.

O que eu tinha feito de tão errado?

Será que eu não havia me expressado tão bem? Ou, sei lá, fui rude, talvez um completo idiota com ela?

Provavelmente nunca saberei.

Pelo menos, estou perto de casa agora. Minhas pernas doem um pouco por conta da caminhada, mas saber que irei passar um bom tempo debaixo da água quente me reconforta um pouco.

Finalmente, após muito esforço e tempestades mentais, cheguei ao meu destino. Minha mãe está sentada na sala, uma xicara de café na mão e um monte de papéis sobre a mesinha de centro.

— Poxa, pensei que você não fosse voltar hoje! — Ela suspirou aliviada. — Quase liguei pra polícia, cara.

Sento-me ao lado dela, vejo toda a papelada do seu trabalho ali e sei que, na verdade, não se preocupou coisa nenhuma. Ela sabia que eu jamais ficaria sem voltar para casa, muito menos sem avisar.

— Ah, mãe! — Engulo o choro antes que as lágrimas possam escapar. —Estou bem chateado, sabe?

Mamãe me puxa até seu coloca e afaga meus cabelos embaraçados. Sinto seu toque suave e imediatamente a tensão se alivia um pouco. É como sentir paz novamente depois de uma grande guerra.

— O que aconteceu, reizinho? Se você quiser contar, é claro.

Respiro fundo, conto toda a história do dia de hoje com Eloá, como foi o aniversário dela e nosso pequeno passeio. Também conto como, de uma hora para a outra, tudo se tornou um grande e colossal desastre.

— E foi isso, mãe. Tudo estava tão bem e, do nada, desandou. — Umas lagrimazinhas escorregam dos meus olhos. — Eu não sei o que fazer, se me sento e choro, se finjo que nada aconteceu, ou se surto de uma vez. Só sei que não posso perder aquela garota.

Minha mãe levanta meu rosto e olha bem no fundo dos meus olhos. Sinto como se ela estivesse penetrando minha alma, tamanha a intensidade de seu olhar.

— Filhote, acho que você só precisa dar um pouco de espaço para ela, sabe? — Ela fecha os olhos, como se adentrasse um território desconhecido e caótico. — Vocês dois são muito novos, não entendem muito bem o que se passa nessas cabecinhas de vocês, muito menos no coração.

Uma pausa longa demais e um silencio ensurdecedor toma conta do ambiente. Meu coração acelera. Até que ela continua:

— E eu acho isso muito lindo. Mas talvez vocês ainda precisem descobrir algumas coisas, entende?

Apenas concordo com a cabeça, não sei o que responder a ela. Afinal de contas, não entendo muita coisa sobre o amor mesmo. Além de ser realmente novo, é a primeira vez que sinto alguma coisa por alguém e isso é tão estranho que, por vezes, eu me sinto tomado pelo medo de cair em um precipício sem fim.

— Agora, filhote, vai tomar um banho e assistir alguma coisa, ler, sei lá. — Ela beija minha testa como sempre faz quando está preocupada comigo. — Só tenta ocupar a sua cabecinha com outra coisa e dormir, senão isso vai acabar engolindo você. Tá bom?

— É, acho que isso é o melhor que eu posso fazer agora mesmo. — Levanto-me do sofá, finjo um sorriso e sigo até a escada. — Obrigado mãe. Eu amo você, okay?

Sigo até o banheiro. O que mamãe jamais imaginou, é que eu me sentaria no chão do boxe e choraria todo o meu ser enquanto a água quente caía sobre mim. Mas vai passar, tenho certeza de que as coisas se resolverão amanhã.

Se Eloá não me ligar para uma conversa, eu mesmo o farei.

Capítulo 31

Não podia dizer que tive uma noite de sono agradável, longe disso. Entre os cochilos, leituras inesperadas de partes totalmente aleatórias de livros que já havia lido mais de três vezes e episódios repetidos de *Game ofThrones*, consegui finalmente chegar até o tedioso domingo.

E domingos eram assim: preguiça, tédio e tristeza porquea folga escolar proporcionada pelo final de semana estáchegando ao fim.

Para a minha tristeza, não acordei com o meu celular tocando uma chamada de Eloá, mas sim com o barulho do vizinho escutando pagode.

Reviro os olhos. O cheiro do churrasco alheio estava por todo o meu quarto e fazia meu estômago roncar de fome. Verifico o relógio na tela do celular, quase 2h da tarde.

À esta altura, já perdi o café-da-manhã e estou prestes a perder o almoço também.

— Droga... — murmuro baixinho e corro para fora do quarto em direção ao banheiro.

Escovo os dentes bem rápido, a fome está me matando. Lavo o rosto para disfarçar o sono que ainda estou sentindo e me apresso até a parte de baixo de casa.

Mamãe está sentada no sofá assistindo TV. Quando me escuta descendo as escadas, vira-se com aquela expressão enigmática que só ela sabia fazer quando estava preocupada.

— Isso são horas, David? — Ela respira fundo. — Tem suco na geladeira e pão dentro do armário.

Sorrio de orelha a orelha. Nada melhor do que tomar café-da-manhã antes de qualquer coisa.

Apresso-me até a cozinha e me sirvo de dois sanduíches de mortadela e um belo copo de suco. Zanzo nas redes sociais em busca de qualquer atividade de Eloá, sem sucesso. Entro em seu blog e o último post é da semana passada.

As palmas das minhas mãos começam a suar com o nervosismo. Eu precisava descobrir o que, de tão sério, poderia estar a impedindo de continuar comigo. Meu coração estava aberto para qualquer que fosse a situação, estava disposto a fazer tudo que ela quisesse.

Coloco a música que cantei para ela para tocar enquanto tento desligar minha mente abocanhando os pães. Eu amava tanto mortadela, que jamais conseguiria entender como era tão subestimada e pouco valorizada.

Estava prestes a dar um gole no suco de laranja, quando meu telefone começou a tocar.

Eloá.

Espero alguns segundos antes de atender, meu estômago se revira com o medo e a apreensão. Não sei o que esperar, talvez ela só diga que quer conversar, ou então fale que tudo acabou de vez e que devo perder todas as minhas esperanças.

Não sei qual das situações seria pior. Não faço ideia de como reagir a nenhuma delas.

Mas, mesmo assim, atendo.

— David — ela diz.

A voz dela, calma e serena, invade meus ouvidos e sou tomado instantaneamente por alegria. Só de ouvi-la, já me animo completamente, é como se tudo fizesse sentido novamente.

— Ai, meu pai! — Tento conter a excitação, mas falho miseravelmente. — Eu pensei que você nunca mais fosse falar comigo, que ia esquecer de mim e...

— Calma, menino! — Ela me corta e suspira do outro lado da linha. — A gente precisa conversar, eu fiquei nervosa e acabei me fechando demais, sabe?

— Claro que precisamos, eu amo você, garota!

Ela solta um risinho contido e me conforta um pouco. Talvez ainda existam esperanças.

— Será que você pode me encontrar na pracinha perto de casa mais tarde?

— Claro que posso, tudo por você! — Nem mesmo espero ela falar nada e continuo: — Vou terminar de tomar café e me arrumar, okay?

— Garoto, eu disse mais tarde! — Mais risos. — Eu mando uma mensagem assim que puder,okay?Beijos!

E então ela desliga o telefone na minha cara.

Sei que provavelmente não conseguirei fazer mais nada até que ela resolva falar que posso ir encontrá-la, mas tento me manter calmo para pelo menos terminar de tomar meu café-da-manhã.

Já passava das 5h da tarde e nada da Eloá.

Sentia como se estivesse prestes a ter uma crise de nervos com essa garota sumida. Andava de um lado para o outro dentro do meu quarto, feito uma barata tonta depois de um jato de inseticida.

Bem sem noção, eu sei.

Sabia também que nada disso mudaria a situação. Eu tinha que esperar de uma forma, ou de outra.

Os ponteiros do relógio giravam incansáveis, meu estômago roncava de fome. Mas eu nem mesmo pensava em algo para comer. Por incrível que pareça, eu não queria devorar todo o estoque de batatas fritas do mundo por conta da minha ansiedade. Só queria receber a mensagem dela, nada mais.

Então, em meio ao caos criado por mim dentro do meu próprio quarto, sinto meu celular vibrar em meu bolso.

Mais do que depressa, saco o aparelho, erro a senha duas vezes — minha digital está tão suada, que o leitor não a reconheceu —, até que finalmente consigo abrir nossa conversa.

A Garota que eu amo: tá por aí, meu jovem?! (emoji de olhinho)

Eu: GRAÇAS A TODOS OS DEUSES!

Já ia pular da minha cadeira pra ver se batia com a cabeça e morria... brinks, nada de romantização de suicídio por aqui! (emoji de vergonha)

A Garota que eu amo: Ai, por favor tsktsk

Chega de surto, garoto.

A Garota que eu amo está digitando...

Eu: Oh, pai Odin, todo poderoso, acaba com esse sofrimento!

A Garota que eu amo: Consegue me encontrar na pracinha perto da minha casa em, tipo,quinzeminutos? (emoji confuso)

Eu: AGORA!

A Garota que eu amo: fechou Dê, te espero lá. Bjs.

Parece até que o mundo acabaria caso eu não me apressasse. Um turbilhão de emoções invade meu coração e finalmente limpa minha mente de toda apreensão. Sinto-me um pouco renovado e feliz, devo confessar.

Sem pensar duas vezes, nem mesmo me dou o trabalho de trocar de roupa, só passo uma água no rosto e me mando de casa.

O amor da minha vida está me esperando e não posso, de forma alguma perdê-la.

Capítulo 32

É fim de tarde e tudo parecia conspirar a meu favor. O céu está radiando um tom de dourado que eu nunca percebi ser existente. Uma ou outra nuvem cor-de-rosa dá um pouco mais de beleza para ele.

Cheguei à praça já faz uns dez minutos e, mesmo sendo uma pessoa extremamente ansiosa, estou calmo e tranquilo. Não sei se isso deveria me animar, ou assustar, mas me sinto bem.

Rolo minha *for you* do *TikTok* sem pretensão alguma. Por um acaso do destino, ou sei lá o que, deparo-me com um vídeo de Eloá se maquiando para ir para a escola. O vídeo tem só duas semanas e tem quase cem mil visualizações.

Por que eu nunca perguntei se ela estava na rede social também?

Apresso-me em segui-la e deixo minha curtida no vídeo enquanto assisto.

Ela faz as coisas com tanta delicadeza, que só consigo vê-la como uma divindade africana — acho que chamam de orixás, não sei ao certo — digna da realeza. Seu toque é sutil e ela, que já é a garota mais linda do mundo sem maquiagem alguma, vai se tornando ainda mais bela.

Estava encantado. É isso.

Não consigo desgrudar os olhos da tela do meu celular, até que sinto um toque suave no meu ombro esquerdo.

— Fiu, fiu! — Viro-me e vejo Eloá. Seu cabelo preso em um coque desajeitado e o rosto totalmente livre de maquiagem. — Pensou que eu não viria?

Por alguns instantes, tive a impressão de que não sabia mais falar uma palavra sequer. Mesmo desarrumada, com um *moletonzinho* cinza e surrado, acompanhado de uma camiseta com estampa de uma deusa cujo nome eu não sei, ela continuava linda. A luz dourada do sol poente realçava todos os seus traços, criando praticamente uma obra de arte diante de mim.

— Nossa, cara... — Suspiro aliviado. — Quase me matou do coração, menina.

Levanto-me e a envolvo em meu melhor abraço de urso. Sinto que poderia quebrar os ossos dela se não tomasse cuidado. Envolvo-a tentando transparecer o máximo de segurança possível. Minha pele se arrepia com a energia que emana de Eloá, nem mesmo consigo descrever a sensação que estou sentindo.

E então, sinto uma lágrima morna escorrer na parte de trás do meu pescoço. Não sei dizer o motivo dela, porém, apenas a continuo abraçando sem dizer qualquer palavra e espero o momento certo para tomar qualquer atitude.

Eloá acaba por encerrar aquele momento e me convida a sentar no banco de concreto da praça.

Quando consigo encará-la novamente, vejo que seus olhos estão cheios de lágrimas. Sinto vontade de falar o tanto que a amo, tudo que acho bonito naquela garota, mas percebo que agora é o momento de escutar tudo que ela tem a dizer.

Não é meu momento agora, é a hora dela.

Então me sento e observo as crianças pequenas brincando no parquinho mais à frente.

— David, eu preciso te contar algumas coisas e eu não sei se você tá preparado, bebê. — A voz dela está tremula demais, o que indica que ela está cheia de medo.

Seguro-me para não despejar um caminhão de palavras reconfortantes para ela, pois sei que isso não vai ajudar em nada. Quando uma pessoa quer falar algo, seria bem mais fácil se os outros parassem e prestassem atenção.

— Eu sei que você já sabe da minha condição e tal, nosso primeiro encontro não foi dos melhores e talvez fosse melhor que você tivesse me conhecido de outra forma. — Eloá engole em seco e faz uma longa pausa antes de dizer qualquer coisa — Eu sou trans, David, você consegue entender como isso é complicado?

Apenas balanço a cabeça em afirmação, para não a interromper.

— Eu nunca tive coragem de me relacionar com ninguém! — Lágrimas começam a escorrer do rosto dela, seu tom de voz soa desesperado, é como se ela estivesse se ferindo ao proferir aquelas palavras. — Meu corpo ainda não é cem por cento meu, ainda tem coisa errada e eu não posso fazer nada sobre isso!

Levanto-me o mais rápido que consigo e a abraço tão forte, que a impressão que tenho, é de que ela irá se desfazer em mim. Gostaria de pegar um potinho para colocá-la dentro, para proteger esta garota que tanto amo.

— Ei! — Deixo escapar. — Para mim, você é perfeita do jeitinho que você é agora, não mudaria nada mesmo que tivesse esse poder.

Acaricio a cabeça dela em um cafuné meio desajeitado. Sinto, aos poucos, sua respiração ficar mais leve e calma. Meu coração está um pouco acelerado, talvez por eu estar finalmente conseguindo mostrar a Eloá que estou aqui por ela, que não quero deixar ninguém fazer mal a ela.

— Você não entende, David! — Ela se solta do meu abraço e me encara fundo nos olhos. — Eu ainda não fiz a minha transição!

Meus olhos penetram os dela de volta, apesar das lágrimas que insistem em brotar das minhas visitas, tento transparecer o máximo de confiança que consigo. E, então, eu digo, sem nada a temer:

— Nada disso importa para mim.

— Como assim, não importa? Você ouviu tudo que eu te disse?

Enquanto ela me encara, parece até que seria capaz de voar no meu pescoço e fazer com que eu engolisse tudo que falei junto com os meus dentes.

— Ouvi sim, Eloá! — Seguro-a pelos ombros, para que não fuja. — E como eu disse, não me importo, você é perfeita assim, e mesmo quando terminar tudo que tiver de fazer, vai continuar sendo perfeita.

Ela começa a chorar copiosamente, feito uma criança. Percebo o quanto aquilo tudo a machuca, porém não sei mais o que fazer para tentar acalmá-la e deixar claro que não vou sair do lado dela por nada.

— Eu ainda não me sinto eu, David. — Ela soluça em meio às lágrimas. — Eu me olho no espelho, e sinto como se uma intrusa me encarasse de volta, só por conta deste detalhe.

Fico em silêncio para que Eloá possa continuar. A esta altura, a praça já está mais vazia e o céu já escureceu, as estrelas pontilham a escuridão e uma brisa fresca envolve nossos corpos.

— Eu sei que meus pais estão juntando dinheiro, meu blog e meu *TikTok* rendem alguma coisinha, mas, sabe, parece que nunca chega! — Ela suspira, como se estivesse exausta. — Eu tenho a impressão de que nunca vou conseguir, cara, isso me dá medo!

Envolvo sua mão direita com minhas duas mãos gordinhas e suadas, colo minha testa na dela, apenas para que ela se sinta um pouco mais segura.

— Você é a garota mais foda que eu já conheci em toda a minha vida, Eloá. Você vai conseguir, eu estou aqui para apoiá-la no que for possível. Tenho certeza que a galerinha dos desajustados também!

Levanto a cabeça dela, pra que veja bem meus olhos.

— Se eu tenho certeza de alguma coisa, é de que você já conseguiu! Olha até onde você chegou! — Beijo sua testa. — Nada pode te impedir. Eu não sei bem como funciona tudo isso, me perdoa, mas a gente vai dar um jeito.

Ela fica ali, diante de mim, completamente em silêncio. As lágrimas finalmente param de escorrer.

— Você tem um monte de seguidores, cria uma campanha e eu tenho certeza de que eles vão ajudar!

Ela funga para conter o restinho do choro e me beija de supetão. Não estava esperando aquilo. E é o melhor beijo que já tive durante todo este tempo. Arrepios percorrem meu corpo e minha perna treme com o fervor da situação, mas nada seria capaz de me fazer parar.

— Você acha mesmo que vai dar certo?

— Eu tenho certeza, Eloá. — Dou um selinho na garota que eu amo e volto a encará-la. — Eu estou contigo!

Capítulo 33

O final de semana infelizmente acabou e tivemos que voltar à escola.

Os corredores, como sempre, estavam cheio de gente, um falatório sem fim. E, apesar de não gostar nem um pouco de ficar trancado nas salas de aula, estava ansioso pelos momentos com meus amigos.

Depois que nos juntamos, graças à Eloá, minha vida mudou da água para o vinho — não que vinho seja melhor que água, eca, mas o ditado é assim — e eu não me sentia mais um completo deslocado. Eu fazia parte de algo bem maior. Para muita gente, não fazia sentido ou diferença, mas, para mim, era a maior conquista da minha vida.

Principalmente porque agora eu poderia ajudar Eloá de alguma forma.

Estou passando pelo corredor que me leva até a sala de Biologia, quando sou empurrado contra a parede.

Surpresa e medo tomam conta de mim.

— E ai, sabichão! — A voz de Maicon entra nos meus ouvidos como uma lâmina afiada. — Eu posso ter deixado você *de boas* por um tempinho, mas já deu pra descansar, não é, não?

Solto um grunhido causado pela pressão do braço dele em meu pescoço. Encontro forças sei lá de onde e dou uma joelhada no saco de Maicon, só para que ele se lembre que o David bobinho já não existe mais.

— Sai de cima de mim, idiota! — Empurro-o para longe, sentindo-me um super-herói das revistas em quadrinho. — Esse seu jeitão já deu o que tinha que dar, cara.

Ele me encara, furioso. Seu rosto está vermelho de ódio e ele ameaça de vir para cima de mim. Toda a atenção da escola está voltada para nós. Não demorar muito até um professor, ou inspetor de alunos, aparecer para acabar com essa palhaçada.

— Cara, você está abusado. — Ele respira fundo e olha ao seu arredor. — É bom você, a *aberraçãozinha* do seu namorado e o resto pararem com essa história de clubinho. Ou, então, o negócio vai ferver pra vocês.

Ele fez questão de se referir à Eloá no masculino e aquilo me encheu de ódio. Apresso-me para ir socar a cara dele, mas, antes que possa atingi-lo, Maicon se mistura à multidão.

Precisamos fazer alguma coisa sobre isso, o mais rápido possível. Já passou da hora dessa escola se tornar um ambiente saudável para todo mundo.

O tempo passou mais rápido do que eu imaginava e já chegamos ao intervalo. Estamos todos reunidos, eu e meu grupinho de desajustados, em frente à sala do diretor.

— Alguém precisa fazer alguma coisa, mano! — esbraveja Nands com as duas mãos na cintura. Ela anda de um lado para o outro cheia de raiva e indignação.

Eloá está bem quieta hoje, acho que ainda por conta da nossa conversa. Respeito o silêncio dela e por enquanto ainda não falei nada com os outros.

— Sim, gente, nem que seja um protesto, a gente tem que fazer alguma coisa. — digo com uma voz forte que nem mesmo imaginava ter. — Eu passei boa parte da minha vida sendo um ninguém, sempre sem voz, mas eu cansei, de verdade.

Eu e meus amigos nos abraçamos como num bolinho de amor e reciprocidade. É possível sentir a energia de cada um naquele abraço. Energia puramente positiva, sem nenhum tipo de maldade. Estava no lugar certo, com as pessoas certas e na hora certa!

E então a porta da sala do diretor se escancara de uma só vez nos pegando de surpresa. Nós nos soltamos do abraço rapidamente e nos postamos um do lado do outro, imponentes como nunca.

— Posso saber ao que se deve esse motim? — o diretor esbraveja, confuso.

— Precisamos conversar. — Eloá toma a frente da situação como a líder nata que ela é. — A gente pode entrar?

O diretor Freitas parece confuso e, ao mesmo tempo, irritado com toda a situação. Sinto muito, mas não tínhamos outra saída. Ou era assim, ou então nunca conseguiríamos qualquer solução.

— Fazer o quê, depois desse alvoroço todo... — Ele libera a entrada para a gente, meio preocupado.

Depois que todos nós entramos, o diretor vem em nossa direção, fechando a porta atrás de si. Ele se senta em sua poltrona e indica para que ocupemos as duas cadeiras diante dele.

Eu e Eloá nos sentamos, enquanto os outros ficam em pé atrás de nós. Estou transpirando horrores, tento manter a calma, mas não é nada fácil.

— Em que posso ajudá-los, meus jovens? — Ele respira fundo. — Espero que sejam breves, devo dizer.

— Seremos — Eloá se levanta, tão imponente quanto uma gigante medieval. — Senhor Freitas, como é possível que você não esteja vendo tantos problemas acontecendo bem diante do seu nariz?

Sinto um pouco de medo, jamais teria a coragem de falar assim com o diretor.

— Você perdeu a noção do perigo, garota? — É possível detectar o deboche no seu tom de voz ao dizer a palavra garota a quilômetros de distância.

Sinto vontade de me levantar e enfrentar esse maldito, mas Eloá o faz antes de mim.

— Que perigo, diretor? Se eu bem me lembro, o senhor está aqui para zelar pelo bom convívio e assegurar nossa segurança, não é mesmo? — Ela se senta. — Além disso, também deve se assegurar de que respeitemos uns aos outros, não?

O diretor se revira na poltrona, evidentemente desconfortável e sem saber o que fazer. O som do atrito entre o couro e sua roupa social é, no mínimo, engraçado. Contenho um riso, o que deve ter feito meu rosto ficar vermelho igual um pimentão.

— E eu já faço isso muito bem, senhorita...

— Não mesmo, diretor! — Eloá o interrompe. — Eu e meus colegas somos constantemente atacados simplesmente por sermos do jeito que somos. Nos xingam, agridem e vocês não estão nem aí. Nós merecemos tanto respeito quanto Maicon, ou qualquer outra garota desse inferno de escola.

Freitas engole em seco, seu rosto pálido e sem reação alguma. Não deve saber o que dizer.

— Sei que é muita gente para prestar atenção, tenho noção disso! — Ela continua. — Mas o senhor precisa fazer alguma coisa, podem ser palestras, cursos, alguma coisa do tipo.

O diretor começa a digitar alguma coisa no computador velho diante de si. Quando finalmente para o que quer que estivesse fazendo, sua testa está coberta de suor. Ele suspira e nos encara, novamente sério e imponente.

— Não é bem assim que as coisas funcionam, Eloá — ele diz, incisivo demais para o meu gosto.

— Eu sei que não, mas acho que vale o esforço. — Eloá sorri um pouco contida. — A não ser que o senhor queira que eu use minhas redes sociais para relatar tudo que sofro por aqui e mais alguns protestos na frente da escola.

Capítulo 34

Às vezes, a gente precisa dar o braço a torcer e assumir que nem tudo que planejamos irá dar certo. Isso é um saco, de verdade, mas planos são assim, uns dão certo, outros não. E vida que segue.

Quase uma se passou e nada foi feito pelo diretor. Eloá, eu e o resto da turma estamos bem desapontados. Eloá está pensando em começar a fazer o burburinho que falou que ia fazer.

É claro que vou apoiá-la, mas devo confessar eu sinto um pouco de medo do que pode acontecer com a gente nesse raio de escola.

Estamos todos sentados emuma mesinha afastada no refeitório, para não chamar muita atenção e tal. Nands e Juracy estão desenhando alguns cartazes, com mensagens de conscientização sobre os direitos de pessoas LGBTQIAP+, para gravarmos um vídeo da Eloá.

Em contrapartida, Ícaro e Guto se empenham em maquiar Eloá. Ela, já tão linda, parece tão glamurosa quanto a Beyonce agora. Meu coração gordo se enche de admiração por ela e pelos outros.

Quero muito que tudo isso dê certo e que não seja em vão, que a gente consiga fazer alguma diferença dentro da escola.

Por mais que eu não esteja contribuindo com muito, além da minha opinião e algumas poucas ideias, sinto-me parte disto. Sei que seremos capazes de trazer, pelo menos, um pouco de mudanças, não somente na escola, mas, também, na vida de outras pessoas por aí.

O alcance da Eloá nas redes sociais é algo notável e incrível. No meu ponto de vista, ela tem tudo para se tornar uma influenciadora de sucesso daqui um tempo, basta não desistir.

— E aí, gente, o que acharam da musa? — Ícaro bate palminhas enquanto Eloá sorri.

Ela está radiante, sua pele impecável e com detalhes sutis. Não entendo nada do que foi feito ali, mas a beleza estonteante diante de mim quase me deixa sem fôlego. Os tons claros de todas as cores do arco-íris com as quais seus olhos foram pintados fazem com que Eloá se pareça com uma obra de arte viva. O cabelo volumoso e com cachos bem definidos traz um ar de jovem determinada que precisamos agora.

— O circo pegou fogo e os palhaços vieram parar aqui, não é mesmo? — Maicon solta uma risada debochada e cruza os braços.

Antes que ele possa continuar, percebo Juracy sacando o celular do bolso.

Discretamente o garoto raquítico e com muito cabelo na cabeça começa a gravar a cena que se desenrola diante de nós seis.

— Vocês estão achando o quê, cambada de esquisitos?

O brutamontes parece bem nervoso e incomodado com o que estamos fazendo. Estou um pouco assustado. Minhas pernas começam a tremer um pouquinho, porém tento não transparecer.

Neste momento, o tempo parece congelar. Tudo fica em câmera lenta. Maicon avança e pega um copo de suco de morango que algum de nós estava bebendo e, sem nos deixar tempo para reagir, o lança contra Eloá.

Numa questão de segundos, a roupa, outrora branca de Eloá, se torna quase que completamente vermelha. A cena muito me lembra o momento do baile de formatura de Carrie, quando jogam os baldes de sangue de porco sobre a garota. E me entristece muito que coisas deste tipo aconteçam na vida real por pura idiotice do ser humano.

— Espero que vocês entendam que não tem lugar pra viadagem nessa escola. — Maicon gargalha, parece um louco que acabou de sair do hospício. — A vida de vocês vai ser bem mais fácil se não chamarem a atenção. Sei lá, fiquem invisíveis, troquem de escola. Só sumam!

E, com isso, o garoto se vira e vai embora. Simples como uma tempestade que veio, fez o seu estrago e não tinha mais nada a fazer por ali. Sinto vontade de chorar, mas me lembro que estou tentando ser o mais forte o possível para não desanimar ninguém.

Eloá se levanta, o rosto tomado pela fúria. Ela olha para o celular de Juracy e começa a falar.

— Estão vendo? — A garota respira fundo antes de continuar. — É isso que nós ainda temos que passar, mesmo depois de tanta luta, tanto sangue de pessoas LGBTQIAP+ como eu e meus colegas que já foi derramado. Não é possível que ninguém veja como as pessoas ainda são podres e mesquinhas.

Eloá faz uma pausa breve enquanto seca uma lágrima que escorreu de seu olho direito. Sua maquiagem agora está borrada, as cores se misturam um pouco num tom acinzentado.

— Pessoas livres e de bem consigo mesmo, como a gente é, incomodam muito quem não sabe o que é viver.

Eloá continua falando, ela detalha tudo, desde o momento em que Maicon a arrastou para fora do banheiro feminino, até o dia da nossa conversa com o diretor.

E eu, com lágrimas nos olhos e muita determinação dentro do peito, me levanto.

Naquele momento, sinto-me um gigante recém desperto, cheio de força e ansiando por justiça.

Ao longe avisto Maicon em uma das mesas do refeitório, junto dele, sua turminha e umas garotas do grupo de patricinhas da escola. Conversam e riem alegres, como se estivessem comemorando o que acabou de acontecer.

Tenho a impressão de ter escutado Ícaro e Nands gritarem meu nome, mas estou tão tomado pela raiva, que continuo indo de encontro de Maicon.

Eu não percebia o que aquilo me custaria, mas precisava fazer algo.

E então, quando chego à mesa deles, fecho minha mão direita e, com uma força que eu jamais imaginei ter, desfiro um soco bem no meio da cara de Maicon.

Capítulo 35

A confusão está armada, escuto os gritos da escola inteira ao meu redor. Rolamos pelo chão sujo do refeitório. Eu, obviamente, levando a pior.

Meu corpo está tomado de adrenalina, por isso não sinto muito a dor dos golpes de Maicon. Eu que me cuide, mais tarde.

Ele me agarra pelo pescoço e me prende. Tento me soltar, mas o garoto é,com certeza, mais forte do que eu. Como não posso com ele, mordo com força seu antebraço. Posso sentir que meus dentes estão prestes a quebrar, tamanha a dureza dos músculos de Maicon. Mas não paro até que ele me solte.

Essa é a deixa.

Desfiro uma bela joelhada no saco do brutamontes. E este foi, por fim, o último ato da nossa briga colossal. Sinto-me ser agarrado por trás, enquanto o professor de educação física puxa Maicon para longe.

Apesar de saber que perdi toda minha razão no momento em que me levantei para bater nele, algo dentro de mim me dá a sensação de que acabei de ganhar uma partida importante de *LoL*. Sinto-me um campeão por finalmente ter batido de frente com Maicon, por não ter deixado o medo me acuar. Pela primeira vez, não me escondi no anonimado e nem deixei os atos preconceituosos dele me magoarem por completo.

Sorrio um pouco, o que me faz sentir o sangue escorrido no canto da boca.

— Eu vou te matar, veadinho do inferno! — O garoto esbraveja enquanto o professor luta para levá-lo para longe dali. — Você me paga.

Penso em responder, mas concluo que não vale a pena.

Sinto o aperto atrás de mim afrouxar e me viro para encarar o diretor. Seu rosto está pegando fogo de tão vermelho. Pelo seu olhar, não sei dizer se está com raiva, ou assustado. Definitivamente, a nossa conversa será longa.

Eloá e meus amigos estão em volta de mim, espantados e um pouco preocupadas. A garota dos meus sonhos pula em cima de mim, aliviada que saí inteiro daquela briga, com poucos arranhões e um monte de marcas roxas que irão fazer parte do meu figurino por alguns dias.

— Você endoidou, garoto? — Eloá suspira aliviada. — Nunca mais faça isso, agressão nunca foi, nem vai ser, a solução!

Abaixo meus olhos, um pouco decepcionado com sua reprovação.

— Eu sei que não, mas... — Faço uma pausa, não sei bem o que dizer para ela. Só agora começo a recobrar a consciência de que não deveria ter feito aquilo. — Eu precisava fazer alguma coisa, estava puto com o que ele tinha feito. Não pensei, me desculpa.

Ela beija minha testa, deixando claro que, por mais que me entenda, não aprova minha ação.

Sinto um toque em meu ombro e me viro para encarar o diretor, agora mais furioso que qualquer coisa.

A sensação que tenho agora é de que passei todas as fases do videogame e finalmente cheguei ao chefão. É aquele frio na barriga sem fim, acompanhado de um pequeno medinho. Além disso, também tem aquela coisa de que, se você se esforçar um pouquinho, vai conseguir superar o nível e finalmente vencer o jogo.

Então fico em paz.

— Primeiro você vai cuidar desses machucados, depois o quero na minha sala!

E, simples assim, ele dá de costas, deixando-me apreensivo o bastante para sentir vontade de me encolher por completo e sumir no meio da multidão.

Mas não, eu faço o que preciso fazer e sigo até a enfermaria da escola. O que me aguarda depois, não sei. Mas seja o que for, espero que meus atos comecem a mudar, pelo menos, um pouco, as coisas por aqui.

Estamos parados no corredor, de frente para a sala do diretor. Eu em um canto com meus amigos e Maicon no outro com sua gangue. Aqui, parecemos adolescentes normais e completamente calmos e sem problemas. Qualquer um diria que não temos quaisquer problemas uns com os outros. Mas tudo isso não passa de uma cena digna da sessão da tarde para não causar mais represálias.

A porta da sala do diretor se abre lentamente, ele não fala nada. Nós simplesmente sabemos o que devemos fazer.

Maicon me fuzila com o olhar e se levanta. O garoto arrogante e marrento se apressa para entrar na sala do diretor. O olho roxo dele, combinado com o lábio inferior cortado, meio que me faz sorrir um pouquinho.

Adentro a masmorra sem um pingo de medo. Estou até me sentindo confiante e, apesar de saber que não tenho razão nenhuma nessa confusão toda, tenho o mínimo de esperança de que, talvez, agora, o diretor faça algo.

— Vocês perderam a noção de vez, não é, seus moleques? — O tom áspero dele me intimida um pouco. Acabo abaixando a cabeça por alguns instantes, mas logo recobro minha postura.

Maicon solta um risinho debochado na esperança de passar uma imagem de quem não fez nada de errado. Eu apenas o encaro e em seguida olho para o diretor.

— Que belo espetáculo, de verdade David e Maicon. Como se já não tivéssemos problemas o suficiente, vocês insistem em causar mais! — Ele bebe um pouco dá água diante dele. — Eu deveria suspender vocês dois, mas não iria mudar nada.

Encaro o diretor bem no fundo dos olhos, com muita coragem e vontade de mudar alguma coisa.

— Diretor, será que o senhor não percebe qual o problema aqui? Nós já conversamos e você continua se fazendo de cego! — Suspiro, estou perdendo as esperanças. — Até quando a minha vida, a vida dos meus amigos, vai ser um inferno por causa dele?

Aponto para Maicon, que está sorrindo, como se estivesse orgulhoso de tudo o que faz.

— Até o dia que você deixarem de ser essas aberrações que vocês são — Maicon fala e solta uma gargalhada. — E não pense que vai ficar barato o que você fez, baitola.

O diretor se levanta e debruça sobre a mesa, claramente nervoso.

— Chega, vocês dois estão suspensos! — O tom de voz furioso dele me faz tremer na cadeira que estava. — Uma semana para cada. Sem discussão!

Capítulo 36

— Você está pensando o que da vida, garoto? — Mamãe está bem irritada e eu não tiro a razão dela. — Você poderia ter se machucado feio, simplesmente para provar que é capaz de lutar por algum amor bobo de escola.

Ela balança a cabeça, sei que está decepcionada com o que aconteceu, mas acho que mamãe não é capaz de entender tudo o que estou passando — tudo o que nós passamos, para falar a verdade.

Eu sei que tenho que entender que na sua época, as coisas não eram assim, que pessoas como Eloá, meus amigos e eu — sim, eu me incluo nesse leque imenso de pessoas diferentes, não sei onde, mas me incluo — não éramos notados. E quando notavam, eles nos tratavam como pessoas com algum tipo de distúrbio mental.

— Agora, além de você quase ter sido expulso da escola, eu ainda preciso dar um jeito de comprar óculos novos para você. — Nossa sala, que não é pequena, parece ter o tamanho de uma caixa de papelão. Diminuindo cada vez que minha mãe fala algo. — Vem cá, filho.

Minha mãe abre os braços e me envolve em um abraço de urso que só ela sabe dar. Sei que, no fundo, este surto é pura preocupação, eu sou a única coisa que ela tem desde que o papai se foi. Acho que toda vez que alguma coisa séria acontece, ela é tomada de desespero.

— Você acha mesmo que essa garota vale todo esse esforço, David?

— Eu tenho certeza, mãe. — Respiro fundo, o franzir da minha testa faz meu rosto inteiro doer. Resmungo baixinho para tentar manter a imagem de garoto forte que estou construindo. — Eloá me fez ver a mim mesmo de uma forma diferente, fez eu perceber que tem um lugarzinho no mundo para mim.

Faço uma pausa, esperando que minha mãe fale alguma coisa, mas ela não o faz, então, continuo:

— Ela é especial, mãe. Não só por ser quem ela é, mas por me tornar quem eu sou agora.

Mamãe suspira e franze a testa. Parece buscar as palavras certas para me dizer, um baita esforço da parte dela.

— Eu acho que entendo, filho. — Ela me abraça de novo. — Mas, mesmo assim, você não pode sair por aí batendo nas pessoas. Isso só prova que você é tão babaca quanto eles.

Deixo uma lágrima escorrer sem querer. No fundo, eu sei que o que eu fiz foi errado, que não se combate violência com mais violência. Sinto-me um extremo idiota agora.

— Eu sei, mãe. — Caio no choro, minha voz engasgando vez ou outra. — Mas eu estava com raiva, cansado de ficar abaixando a cabeça sempre. E ouvir todas as asneiras que aquele garoto estava dizendo sobre a Eloá me tirou do eixo. Me desculpa!

Sinto mamãe me abraçar forte e então deixo todas as minhas lágrimas transbordarem. Não só por estar decepcionado comigo mesmo, mas por ter raiva das coisas que acontecem com gente como eu.

Dá a impressão de que isso nunca vai mudar, que viveremos sempre em uma caça às bruxas. Sempre nos escondendo de alguma forma, agredidos e atacados por pura burrice alheia.

— Eu só queria que as pessoas vissem Eloá, até mesmo eu, como seres normais. Porque é isso que somos, mãe. — Enxugo o rosto e deito minha cabeça em seu colo. — Só isso...

Capítulo 37

— David, acorda!

Escuto a voz de minha mãe e sinto seu toque na minha barriga. Não sei ao certo em que momento peguei no sono, mas ao julgar o cheiro de café fresco, imagino que esteja de manhã.

Esfrego os olhos, com minha visão turva vejo mamãe diante de mim. Sento-me e procuro pelos meus óculos, quando os encontro, consigo ver a imagem perfeita dela.

Como é que pude dormir tanto? pergunto-me enquanto recobro a consciência.

— Anda menino, acorda! — Ela está eufórica. — Olha só o que tá passando na TV.

Mamãe aponta para a televisão e aumenta o volume.

Quando vejo os muros da escola, desperto instantaneamente. Está passando algum tipo de reportagem sobre a escola. Eu me esforço para ler a chamada do jornal antes que ela desapareça:

"Alunos de colégio estadual se unem a jovens LGBTQIAP+ em protesto e param as aulas".

Algumas imagens de uma multidão de adolescentes, até mesmo adultos, passam na tela. Tento encontrar meus amigos nelas, mas é praticamente impossível.

Logo as imagens gravadas dão lugar a um repórter loiro, que deve ter no máximo vinte e cinco anos. Seu nome aparece logo abaixo do logo da emissora: Daniel Grossklauss.

— Bom dia a *todes*! — Noto o uso da linguagem neutra em sua voz, o que me estranha um pouco, mas me deixa feliz ao mesmo tempo. — Estamos aqui, em frente à Escola Professor Hugo Terceiro, onde uma multidão se formou logo pela manhã em busca de justiça.

Noto as pessoas atrás dele, diversos cartazes com frases como "Vidas Trans Importam", "Gay também é gente" e "Toda forma de amor é válida" nas mãos. Também consigo perceber a presença de policiais, tentando evitar que tudo vire uma grande algazarra.

— Desde ontem à tarde, um vídeo postado no *TikTok* pela conta garota qualquer zero três, tem tomado conta da internet. No vídeo em questão, é visto um ato de intolerância cometido por um dos alunos desta escola contra uma jovem trans.

Ele faz uma pausa breve e neste momento vejo Eloá se aproximar, meus amigos estão juntos dela.

— Estou aqui com a criadora do vídeo, para que ela nos conte um pouco do que vem acontecendo por aqui e o que a motivou a fazer tanto barulho. — Daniel se vira para ela. — Eloá, no vídeo fica claro que você vem sofrendo ataques desde quando veio estudar nesta escola e que nada tem sido feito para resolver o seu problema. Pode nos falar um pouco mais sobre isto?

O repórter aponta o microfone para a garota dos meus sonhos:

— Então, é bem simples na verdade. — Ela arruma a franja, que estava meio bagunçada. — Desde o dia em que comecei a estudar nesta escola, minha vida tem sido um inferno. Tenho sido perseguida de todas as formas por ser quem eu sou, por ser uma garota trans.

Algumas lágrimas se formam nos olhos de Eloá, mas dá para perceber que ela está tentando passar uma imagem de garota durona.

— Eu busquei apoio do diretor, para ver se poderíamos fazer alguma coisa para conscientizar os outros alunos de que eu sou uma pessoa como qualquer outra. Mas ele não fez nada. — Eloá solta um suspiro. — A não ser meus amigos. E o...

Ela meio que se engasga. Não sei o que deu na cabeça dela, mas o que veio a seguir quase me fez desmaiar:

— E o meu namorado, David, que foi o que mais me motivou a espalhar toda essa situação para as pessoas.

Daniel a encara, tão surpreso quanto eu. Ela falou em rede nacional que é minha namorada? Ou estou ficando louco?

Só pode ser um sonho causado por algum coma. Devo ter batido a cabeça muito forte durante a briga com Maicon e agora devo estar desacordado em uma cama de hospital por aí.

— Você esperava que seu vídeo fosse ter tanto impacto e que receberia todo esse apoio?

— Não mesmo, mas isso me faz perceber que vidas como a minha ainda importam para alguém. — Ela parece tão madura em sua fala, que poderia dizer que nasceu para isso. — Daniel, nós precisamos dar um jeito de fazer com que as pessoas entendam que a nossa existência não atrapalha em nada a vida delas. E acho que não existe lugar melhor para isso do que a escola.

O repórter parece orgulhoso, tenho até a impressão de que ele já passou por algo parecido, tamanho o brilho em seus olhos.

— Você tem razão, Eloá. E hoje existem leis que proíbem qualquer forma de discriminação. — Ela passa a olhar para a câmera. — Então, telespectadores, espero que entendam o que essa jovem e seus amigos estão passando. E que os culpados sejam devidamente corrigidos para que isso não continue acontecendo.

E com isso ele encerra a matéria. Ainda estou chocado que Eloá me chamou de namorado em rede nacional e muito feliz com o apoio que ela conquistou. Estou tão atônito, que mal percebo minha mãe me encarando embasbacada.

— Olha ele, recebeu o título de namorado em plena rede nacional! — Ela me abraça e beija minha testa. — Apesar de ainda estar chateada com você, estou feliz que estão fazendo alguma coisa de útil naquela escola, meu bebezão.

Encaro-a sem saber o que dizer, devo confessar que não esperava tanto apoio assim.

— E tem mais! acho que você deveria ir até lá agora e apoiar a sua namorada! — Ela se levanta e pega a caneca de café que estava sobre a mesinha de centro. — Vai lá se arrumar que eu vou ligando o carro.

Capítulo 38

Quando desço do carro, sinto a pressão de estar ali naquela multidão.

Ignoro os gritos de mamãe para que eu tome cuidado e saio procurando por Eloá e meus amigos. Tem muita gente, socorro!

Fico um pouco agoniado, multidões sempre me deixaram assim, mas não desisto. Estou quase chegando à porta da escola, onde há uma fileira de policiais barrando quem quer que tente entrar. Não demora muito até que eu encontre Eloá, o centro de todas as atenções.

Ela se vira e me encara, os olhos brilhando e a pele negra suada. Tem cabelos demais grudados no suor de sua testa, mas nada disso faz com que ela perca sua beleza. Ao seu lado estão nossos amigos, aparentemente cansados, mas sem fugir de seu propósito. Corro até ela, sentindo um pouco de dor ainda, mas ignoro tudo que possa me impedir de abraçá-la.

— Eu...

Ela nem mesmo me deixa terminar e me rouba um beijo ali, na frente de todo mundo. Ouço uma certa comoção ao nosso redor, o que me deixa um pouco envergonhado. Sinto minha pele esquentar, tenho certeza de que estou vermelho e que meus óculos estão embaçados.

— Eu amo você, David. — Nossos lábios se desgrudam em meio à sua fala. — É com você que eu quero estar, sabe? Você me vê como a mulher que eu sou, me apoia e luta por mim. Namora comigo?

— É claro, garota! — A aperto em um abraço de urso. — Você ainda precisa perguntar?

Nós nos beijamos de novo, ouço os gritinhos histéricos dos nossos amigos ao fundo e por um instante esqueço todo reboliço ao nosso redor. O mundo poderia acabar agora e eu não me importaria. Eu estava com a garota que eu amo, estamos oficialmente juntos.

Na minha cabeça, queria fazer até uma festa para comemorar.

— Estou aqui para comunicar que, a partir de hoje, estou deixando o cargo de diretor desta escola. — Escuto a voz rouca do diretor vinda de um megafone.

Todos se viram em direção à entrada da escola. O diretor está parado lá, um semblante abatido e meio desesperado. Mesmo assim ele nos encara com desaprovação. Parece até sentir nojo de nós.

— Também quero aproveitar que as devidas medidas já foram tomadas a respeito do aluno Maicon. Sem mais!

E com isso ele adentra a multidão, as pessoas ao seu redor o vaiando e alguns repórteres tentando colher entrevistas.

Eu jamais poderia imaginar que um simples vídeo causaria tanto impacto assim. E quem diria, que aqueles dois jovens, que se encontraram no meio de um ato de ódio no corredor da escola fariam tanta diferença!

E além do mais, escreveriam uma história de amor tão perfeita, tão pura.

Encaro Eloá e meus amigos, não conseguimos segurar o choro. Estamos nos esvaindo em lágrimas. Nos abraçamos todos, enquanto aqueles estranhos que nos apoiaram festejam ao nosso redor.

— A gente conseguiu! — grita Ícaro do meu lado.

— Sim! — O tom de voz de Nands é o mais animado que eu já a vi esboçar.

— Pode parecer pouco, mas acho que a gente fez a diferença hoje. — Guto comenta em meio aos nossos risos de felicidade. — Não só aqui, mas acho que nossos nomes vão ser lembrados e comentados por aí.

Vários microfones estão ao nosso redor, por um momento não damos atenção, mas é impossível não responder aos questionamentos deles.

Passamos um tempo explicando as mesmas coisas para cada um dos repórteres, meio cansativo e tal. Logo deixo com que Eloá brilhe e me sento no meio fio do estacionamento da calçada da escola.

Um filme se passa em minha cabeça, desde o momento em que a vi sendo arrastada covardemente para fora do banheiro feminino. Foi ali que tudo aconteceu, que eu me apaixonei perdidamente por alguém que eu nem mesmo conhecia.

Jamais poderia imaginar que nossos caminhos se cruzariam, muito menos que poderíamos nos tornar verdadeiros amantes. Mas a vida tem dessas, histórias improváveis que simplesmente se tornam realidade. Amores que talvez nunca acontecessem, não fosse as diferenças de um ambiente tão conturbado quanto os corredores de uma escola.

Se vai ser eterno, não sei, mas tenho a certeza de que será inesquecível.

Agradecimentos

E lá vamos nós para mais um livro! Mais uma vez surtando por saber nem como começar a agradecer todas as mãos que, de certa forma, tornaram possível "A Improvável História de Nós Dois".

Foram seis anos de muita escrita, reescrita, pesquisas técnicas, ajuda de pessoas trans para que eu não escrevesse nada fora do lugar, afinal de contas, não é meu lugar de fala.

Antes de mencionar qualquer pessoa, preciso agradecer por aqui a Ologunèdé, orixá ao qual sou iniciado e que me presenteia com criatividade, que me mantem de pé e me faz lembrar de que não estou sozinho. Sem ele, jamais teria chegado até aqui. Claro que não posso deixar de agradecer à minha Yalorixá Jussara Neto, por ter me iniciado e sempre me incentivado a escrever.

Não posso me esquecer de agradecer à minha mãe Maria Aparecida da Silva (in memorian) por ter me colocado no mundo e ter sido minha melhor amiga em todos os momentos. Gostaria que ela pudesse ler este livro, mas sei que está em algum lugar sorrindo e me mandando muita energia positiva.

Agradeço à Hailey Kass, ao Apolo e Becca Gaia por terem se disponibilizado a tirar minhas dúvidas, a esclarecer alguns pontos nebulosos que eu tinha quando comecei a escrever esta história. Sem vocês, este livro jamais teria sido possível.

Também devo me lembrar da Ananda, Nat Simião e Icaro Trindade, meus amigos, que leram os primeiros rascunhos de "A Improvável História de Nós Dois" e me disseram que eu estava no caminho certo, vocês são maravilhosos.

Não menos importante, agradeço também ao meu marido Henrique, que foi quem me motivou a voltar a escrever, que viu em mim o potencial que eu não estava mais vendo. Amo você demais, obrigado por aguentar as minhas loucuras.

E por fim, e talvez mais importante: todos os leitores que me acompanham desde "Imperfeito". Vocês são os melhores, amo vocês!

www.lereditorial.com

@lereditorial